La neige, c'est surfait

et autres nouvelles.

Céline GUEGUEN

La neige, c'est surfait

surfait

et autres nouvelles.

Éditeur : BoD-Books on Demand

12-14 rond-point des Champs-Élysées, 75008
Paris

Impression : Books on Demand, Norderstedt,
Allemagne

Illustration de couverture :

@Pixabay.

ISBN : 978-2-3222-2251-3

Dépôt légal : Septembre 2020

Pour tous ceux qui m'ont suivie, d'ici ou d'ailleurs,

et vont me suivre dans ce rêve.

<u>MPH Univers polar :</u>
Assassinats en série, victimes plus ou moins innocentes, détectives à la recherche du coupable... Une quête éternelle pour lutter contre un des plus grands tabous de l'Humanité : ôter la vie à autrui.
Suivez les pas de ceux qui partent à la recherche de la vérité.

À L'ATTENTION DU LECTEUR :

Les nouvelles policières qui suivent n'ont pas de lien entre elles. Le 1er cycle appartient à un ensemble ayant participé à divers concours de nouvelles policières. Le 2ème cycle est issu d'un processus de création entièrement spontané.

LA NEIGE, C'EST SURFAIT![1]

Fait divers : Après des semaines de recherche, le corps d'Éric L., randonneur chevronné, a été retrouvé à la faveur d'un court réchauffement. Son cadavre est apparu dans la neige. Sincères condoléances à sa famille.

— Je suis soulagée qu'on ait fini par retrouver Papa, ou ce qu'il en reste ! Pas toi, Maman ? Julie interpellait sa mère alors que celle-ci lui servait de la daube.

— Je savais qu'il n'était pas loin !! Mange ta daube !

— Ce que je ne comprends pas, c'est qu'il soit parti avec ce temps. Tu n'as pas pu l'en empêcher ou l'accompagner ?

— Mais ma chérie, ton père était têtu. En plus, j'avais mon entorse. Qui pouvait prévoir qu'il chuterait ? Mange ta daube !

Julie releva la tête vers sa mère. Elle semblait douter, puis haussa les épaules et reprit :

---

1 Cette nouvelle fait partie du cycle 1.

— Tu vas faire quoi de la maison ? Tu pourrais la louer, ou alors la garder et on s'y retrouverait souvent.

— La neige, c'est surfait, ma chérie ! Les gens préfèrent parfois le soleil ! Mange ta daube...

— Mais Papa et toi adorez la neige ! C'est grâce à vous qu'on l'aime aussi. Je vous envie : avoir autant de points communs après toutes ces années. C'est formidable ! »

Christine avait regagné la cuisine. Elle hurla sa réponse : « Tu dis ça, car tu es seule. Tu sais, les gens changent, les goûts aussi ! Mange ta daube, ma chérie.

— Quand je serai mère, j'amènerai souvent les enfants ici. Je veux qu'ils voient leur grand-mère et on fera les Fêtes ici. On fera de longues balades dans la neige, on jouera...

— Tu penses que je vais rester là à attendre ? Ton père m'a déjà fait le coup !

— Maman, la neige, c'est féerique ! On va en profiter tous ensemble.

— Je t'ai déjà dit que la neige, c'est surfait ! Je t'adore, mais la maison et la neige, je vous les laisse, à tes frères et à toi. Je te ressers, Julie ?

— Non, je me débrouille !

Christine repartit vivement à la cuisine et Julie plongea rageusement la cuillère dans la cocotte.

—Maman, tu viens manger ? C'est impossible d'avoir une vraie discussion avec tes allers-retours. Et puis, tu n'as rien mangé.

— Tu veux discuter ou te disputer ? rétorqua la mère d'un ton acide.

— Je ne te comprends plus ! Avant, tu adorais être ici ; tu nous accueillais avec joie ; tu prenais soin de nous tous...

— Je t'ai dit, les gens changent ! Pourquoi devrais-je rester la même alors que les autres évoluent ? Hein, dis — moi ! Ton père n'a pas non plus été capable de me répondre.

Julie sentait la pression monter, elle sentait aussi que le repas prenait le même chemin. Rien de tel qu'une bonne marche sous les flocons tombants pour apaiser sa mère et sa digestion.

— Maman, calme — toi ! On en reparlera. Viens, on va sortir !

— Tu proposes une balade digestive ou une balade de la paix ?

— Les deux ! Regarde, on dirait un rêve...

— Un rêve ? Comme quand tu étais petite et douce ? OK, allons-y !

— Nous en reparlerons en rentrant...

Fait-divers : Le cadavre d'une jeune trentenaire a été retrouvé enseveli sous la neige par des skieurs hors-piste. La cause du décès reste inconnue, mais certaines sources évoquent la possibilité d'un empoisonnement.

NEIGE ENSANGLANTÉE[2].

L'inspecteur venait d'annoncer la nouvelle: André avait été retrouvé. Il était le dernier des cinq skieurs emportés par l'avalanche. L'espoir s'était amenuisé au fil des heures. Dans la salle de repos, les guides avaient presque tous soupiré de soulagement. Cinq minutes dans la neige et vous étiez comme mort. Il n'y avait pas eu de miracle.

— On l'a retrouvée où? On a sondé la neige avec les secours, mais rien...

-Il a été découvert à l'entrée d'une grotte, dans une zone où l'avalanche a été plus faible, mais suffisante pour provoquer l'écroulement de l'entrée.

-Et son système ARVA?

-Loin de là...

— Lola, Lola...Tu es là? Il se tenait à l'entrée de la grotte cachée sous la neige.

— Tu m'as trouvé. Dieu merci!

_____

2   Cette nouvelle appartient au cycle 1.

— André? Tu es aussi ici? Le ARVA de Lola m'a indiqué la grotte. Elle va bien?»

André se gratta la gorge. Il tenait le dispositif de géolocalisation de Lola. Il ne pouvait voir le visage de l'homme à cause de la neige éblouissante.

— Putain, André! Réponds: où est Lola?

— En fait, elle est pas là. Elle a été emportée, elle est sans doute morte! Je suis désolé!»

L'ombre s'avança et la neige n'illuminait plus la grotte. Le sauveur était venu plein d'espoir et celui-ci se transformait en stupeur.

— Si Lola...Si Elle n'est pas là, pourquoi tu as son ARVA?

L'explication fut laborieuse. Sanglotant, André avoua:il n'avait pas rechargé son récepteur la veille. Il avait demandé à Lola, la plus expérimentée, de lui passer le sien. Ils connaissaient tous deux la zone hors piste, c'était donc sans danger.Puis il y avait eu l'avalanche, André avait vu les autres disparaître sous la neige. Mais lui avait sauvé sa peau. Au fur et à mesure, son interlocuteur était devenu immense. A l'intérieur de cet homme, la rage avait remplacé la stupeur. Puis était arrivée la haine, implacable. Puisqu'Elle n'était plus là, il n'avait plus rien à perdre, même pas son âme- qui gisait désormais dans la neige. Sa main droite prit une pierre et la lança sur André. Puis ce fut une autre, une autre et encore une autre...Il le lapidait littéralement. Ce salaud devait mourir à n'importe quel prix! Puis il reprit conscience. Il amena le corps vers l'entrée, le couvrit de pierres et fit chuter de la neige. Peu importe qui le retrouverait et quand. Il s'en foutait, il avait perdu ce qu'il avait de plus cher.

— Je vous adresse mes condoléances, M. Langer. Pour votre fiancée et votre ...ami!

— C'est inutile. Mais merci quand même!»

Loïc se leva, sortit. Sur le perron du chalet, il s'arrêta et respira l'air frais. Rien ne pouvait enlever l'odeur du sang de ses narines.

— Loïc, c'est bien ça?

— Oui.

— Dites-moi, Loïc, pensez- vous que l'on puisse savoir qu'il y a eut un meurtre, mais qu'on ne puisse pas le prouver?

— Aucune idée. Comment le saurais-je?

— Oh, je disais ça comme ça! Pour moi, c'est classé... Je vais rester un petit peu pour profiter de la montagne. Ça vous dirait de prendre un verre avec moi? On pourrait discuter de choses et d'autres. Vous me parlerez de la montagne, de Lola...

UN SI BON FILS ![3]

Il avait attendu ce moment depuis des mois. Il était enfin là, comme les oiseaux, les plantes lui avaient confirmé. Le printemps était revenu. Son projet de refaire les plates — bandes des tulipes était prêt : il avait passé une partie de l'hiver à dessiner des plans, à travailler les couleurs à l'aquarelle et aux crayons. Il avait imaginé ces bulbes sous la neige. Il avait presque pu sentir leurs cœurs battre dans la terre. Aujourd'hui, le temps était suffisamment clément ; les nuages porteurs de neige avaient quitté les cieux. Il fallait aussi installer les nouveaux rosiers. La place était déjà prévue, dans le coin sud du jardin. Elle serait contente de voir autour de la fontaine des fleurs écarlates de Rosa Canina ; il y aurait aussi un magnifique rosier paysager qui serait un pendant harmonieux au vieux portail.

Il prit donc sa pelle, mit le grand sac de jute sur son dos et sortit, heureux à la perspective de passer enfin un après-midi au grand air. Au loin, les pics enneigés étaient le dernier souvenir du rude hiver. Il fit le tour de la fontaine, nettoya les mousses accumulées depuis l'été précédent tout

---

3   Cette nouvelle appartient au cycle 1.

en sifflotant. Un papillon vint se poser sur le manche de l'outil. Le soleil transpirait à travers ses ailes. Il le regarda, sourit. Tout cela lui rappelait son enfance, lorsqu'il refermait ses mains agiles autour du petit insecte et sentait les frêles ailes se débattre contre ses paumes. Pourquoi ne pas revenir à cette période heureuse, juste quelques instants ? Il se déplaça à pas de loup, tendit les mains pour les refermer autour du papillon. Mais il avait perdu son agilité d'enfant et le papillon s'envola. Quel regret ! Il adorait prendre ces petites bêtes, mais surtout leur arracher les ailes, étaler la poudre dorée sur ses mains et son visage, puis regarder l'animal finir sa lente agonie. Il avait essayé plusieurs méthodes pour faire durer ce moment : couper les ailes en morceaux avant de les arracher, les transpercer d'un coup d'ongle, jeter de l'eau dessus... Cela l'occupait des heures durant, accroupi au soleil dans le jardin, sous le regard attendri de sa mère. Il avait essayé de passer le temps avec d'autres animaux et avait donc passé de longs moments à observer les vers de terre se tortiller, les mouches voler de travers. Il avait même essayé de retrouver le même plaisir avec les chats et les chiens, mais ce passage s'était révélé un vrai échec. Rien ne pouvait remplacer la sensation divine d'arracher les douces ailes des délicats papillons. De l'eau venant du sac posé à ses pieds le ramena au temps présent. Il était urgent de se mettre au travail. Il s'empara donc de sa pelle et se mit à creuser avec vigueur. Il lui fallait ouvrir la terre sur plus d'un mètre de profondeur. Si les bêtes venaient saccager les plates-bandes, tout serait gâché. Penser à mettre du répulsif !

Au bout de plus d'une heure de travail, l'objectif était atteint. Il sortit prudemment un sac en plastique hors de la toile de jute. Il ne fallait surtout pas que Maman sorte de là. Il avait déjà eu tellement de mal à la rentrer dans le plastique. Il avait fallu casser quelques os, mais le cadavre avait fini par prendre la position adéquate. Les neiges abondantes de l'année avaient permis de conserver le corps au frais alors que la terre était gelée et dure. Maman serait heureuse d'être là, avec Papa qu'il avait installé sous la fontaine. Maman était de plus en plus délicate et sa peau diaphane ressemblait de plus en plus aux ailes de papillon. Elle ne cessait de regarder vers ce coin du jardin en soupirant et en parlant de Papa. Quand il lui avait brisé « les ailes », il avait promis au-dessus de son cadavre encore chaud qu'elle le rejoindrait bientôt. Elle pouvait être fière d'avoir un fils qui tenait ses promesses avec autant d'amour.

DIGESTION DIFFICILE.[4]

« Carnage » fut le mot qui vint immédiatement à l'esprit du commissaire Léontini. Un putain de carnage ! À ses côtés, l'inspecteur Téo était vert. Il jeta un coup d'œil vers le « Bloc » Léontini. Il n'avait pas bougé d'un iota devant l'horreur.

— Je peux interroger...

— Ouais, tu peux sortir le Bleu ! La poubelle est à droite dans l'entrée...

La salle du restaurant dégageait une odeur métallique. Treize cadavres gisaient autour de la table ; certains avaient à la main un verre de digestif, d'autres une arme. Des trous perçaient fronts et poitrines ; de la mousse blanche écumait ailleurs...

Qui avait commencé et pourquoi ? Léontini s'arrêta près du légiste :

— Alors, doc ?

---

4   Cette nouvelle appartient au cycle 1.

— Sacrée saignée ici... Entre le poison et les blessures par balle, on a du lourd. Tu les connaissais ?

— Tous ! Pas un ne manque à l'appel. Ce sont des chefs de gang. Du beau linge...

— À mon avis, ces mecs ont pété les plombs quand les premiers sont tombés raides morts, je pense.

— D'accord avec toi, Doc... Ils se sont affolés. Regarde les verres renversés...

Léontini trempa délicatement son doigt ganté dans une tâche dorée sur la nappe, le porta à son nez :

— Une bonne poire gâchée ! Aucun respect !

Il reprit son tour de table, toujours imperturbable. Celui qui avait fait ça avait rendu un fier service à la police. On pourrait le remercier. Le doc continuait à s'activer. Léontini, lui, avait sorti son calepin et relevait les différentes directions dans lesquelles pointaient les armes. Des verres étaient brisés au sol, jetés dans la panique. Pour faire peur à des types comme ça, fallait y aller fort. Le commissaire prit une chaise pour étudier le sanglant spectacle. Bientôt, les flashs des techniciens l'empêcheraient de cogiter.

— Tino a tiré sur le Fauve, pleine poitrine. Avant de tomber, celui-ci essayait de buter le Français. Le Breton s'effondre à côté du Marquis, qui jette son verre et vise Tino. Mais il se prend une balle avant et tire dans la fenêtre... Cette pièce est truffée d'indices tous plus pourris les uns que les autres.

C'était la première fois qu'il avait un tel défi ! Complètement tordue, cette histoire ! Les règlements de compte étaient courants dans le milieu. Mais là, les grosses têtes étaient tombées : pourquoi ? Léontini fixa son carnet ; impuissant, il l'envoya au sol. En le ramassant, il eut une vision. Jamais il n'aurait vu l'affaire sous cet angle. Et si… Aucun tir n'allait dans sa direction. À part lui, tous semblaient terrorisés. Il était serein, droit dans sa chaise. Léontini se dirigea au bout de la table, vers le Chef. Il commença à regarder autour de lui, il fouilla dans les poches. Rien... Il souleva l'assiette, sait-on jamais. Là, une enveloppe adressée à la Crim' attendait : il l'ouvrit avec précaution. Une véritable confession : on y parlait d'honneur, de codes, de salauds de pédophiles et d'Internet... Le Chef avait fait le ménage ; certains criminels avaient encore un code de l'honneur. C'était rassurant !

— Prenez soin du Chef, doc... Il est moins pourri que les autres !

DOCTEUR JEKYLL ET MISTER HYDE (?) [5]

L'Homme franchit l'entrée du pub tard dans la soirée. Dehors, la tempête faisait rage, vent et pluie battaient avec force. Les habitués s'étaient repliés vers le feu; seuls le barman et Joe, fidèle pilier de comptoir, étaient au zinc.

L'Homme accrocha son imperméable dégoulinant au porte- manteau, se dirigea vers le bar. Il était pâle et semblait hagard. Joe fit un signe au barman, qui sortit une bouteille cachée et lui en versa un verre. Celui-ci le fit glisser vers l'Homme:

— Vous avez l'air d'en avoir plus besoin que moi! A la vôtre !

Les trois hommes trinquèrent et Joe fit remplir à nouveau les verres d'un simple signe. Le silence s'était installé. Le barman lança la conversation en parlant d'un accident de la route. Une famille tuée ! Joe aurait bien sifflé la bouteille de poire pour se remonter le moral...

— Vous parlez d'un carnage, conclut le barman.

---

5   Cette nouvelle appartient au cycle 1.

L'Homme soupira, regarda le fond de son verre et dit:

— Vous appelez ça un carnage? Non, ça c'est rien... Vous voulez savoir ce qu'est un carnage?

Ni Joe, ni le barman n'étaient sûrs de vouloir en savoir plus. Mais l'Homme semblait parti sur sa lancée. Il tapa son verre sur le zinc. On lui remplit, il le siffla et reprit:

— Un carnage, c'est quand vous rentrez chez vous et que vous trouvez du sang partout, quand ce qui compte le plus pour vous gît dans le salon. Vous avez la trouille que le tueur soit encore là, les mains ensanglantées, les vêtements écarlates, en train d'attendre. Vous vous mettez à genoux près de votre femme, vous caressez ses cheveux rougis. Mais sa peau est froide et lisse. Le sang ne coule même plus, il a déjà commencé à coaguler, faire des petites croûtes. Vos enfants sont aussi victimes de la tuerie. Peu importe comment ils s'appellent, l'âge qu'ils ont. Ils sont là, par terre, sur le sol froid ou le tapis, ça c'est vous qui voyez! Vous les appelez, vous pleurez. Et puis, et puis... Même le chien n'a pas été épargné, cette brave bête! Vous ne le sortirez plus sous la pluie. Mais c'est trop tard, vous êtes couvert de sang et votre nez n'arrive plus à sentir autre chose que le fer de l'hémoglobine!

L'Homme soupira pendant que Joe et le barman ne réussissaient pas à déglutir. Ils se regardèrent et Joe fit un signe, genre 'complètement siphonné, le type'. Totalement perdu dans ses pensées, l'Homme était ailleurs, hors du monde réel. Il continuait à faire tourner son verre dans sa main. Puis il lâcha:

— Un vrai carnage, je vous dis! (Il stoppa) On se pose jamais la question ! Vous en pensez quoi? Vous seriez de quel côté de l'arme, vous?

À ces mots, l'Homme eut un sourire en coin. Le barman avait hâte de fermer le pub pour se rassurer avec les siens. L'Homme porta la main à sa veste pour régler. Joe, livide, l'arrêta et sortit un billet:

— C'est pour moi!

L'Homme remercia d'un signe, avala les gouttes de poire restantes et alla chercher son manteau trempé. Le barman remarqua alors la mare écarlate sous le vêtement. Il frissonna en voyant la marque de paume sanglante sur la poignée.

CARNAVAL POUR UN CADAVRE. [6]

Une fois de plus, les quais de la Citadelle étaient remplis de monde. Au milieu des silhouettes chamarrées, il était impossible de deviner qui était qui. Les vrais carnavaleux n'auraient laissé passer cette occasion pour rien au monde. Dans la culture populaire dunkerquoise, la période de Carnaval était un grand moment de frénésie, et ce même si depuis quelques années, l'ambiance bon enfant avait tendance à diminuer. La bande de la Citadelle faisait partie de ce que l'on appelait les Trois Joyeuses, trois jours où les défilés de carnavaleux se succédaient, avec pour point d'orgue les rigodons.

Sous les parapluies chatoyants et brandis comme autant de points de ralliement, hommes étaient femmes, femmes étaient hommes. Malgré le froid et le vent, la foule inondait les quais. Emmitouflés dans leurs doudounes à poils longs, parés de leurs jupes courtes, les joyeux drilles riaient à gorge déployée, reprenaient en chœur les chants traditionnels associés à cette tradition. Au milieu de tous ces « fous », déjà bien avinés pour

---

6   Cette nouvelle appartient au cycle 2.

certains, Luc commençait à paniquer. Les bandes à la télévision, cela passait encore, mais y être mêlé ! Il avait accepté ce rendez — vous bien malgré lui, à contre- cœur. Mais son correspondant lui avait dit préférer, par sécurité, les lieux ultra- fréquentés et les bandes avaient été l'occasion idéale. Puisque leur projet concernait la mer, pourquoi ne pas se retrouver sur les quais, entre la ville et le port de plaisance ? Luc s'était donc embarqué dans cette aventure, à la recherche d'un dalmatien. Pour l'heure, aucun signe de la moindre bestiole à taches noires, mais combien de bonnes femmes, de diaboliques prêtres, de visages peinturlurés aux multiples couleurs. Luc n'avait jamais fréquenté les bandes, même au temps glorieux de son adolescence. Vêtu aujourd'hui d'une veste orange, d'une jupe vert électrique et de collants rouge et bleu, arborant un chapeau fleuri avec un mauvais goût entretenu, il se sentait en eau dans cette tenue loufoque. Pour être plus facilement reconnaissable, il portait un immense tournesol vert et jaune et une écharpe multicolore : pourvu qu'il ne soit pas passé à côté de son rendez — vous ! Les musiciens qui menaient la bande se mirent à jouer un chahut… à ce signal, les carnavaleux de l'avant firent bloc : plus personne n'avançait sur les quais, et, à l'arrière, on poussait pour aller s'écraser contre les rangs avant. Entraîné par cette vague humaine inexorable, Luc ne touchait plus le sol. Comprimé, il commençait à suffoquer tout à coup, une main de dalmatien l'attrapa au collet. Luc soupira : il avait enfin trouvé son contact. Alors que la marche reprenait, il parvint à s'approcher du grand chien blanc et noir. Soudain, sa respiration fut coupée par un puissant coup porté à l'abdomen. Mais qui ? Pourquoi ?

Les derniers fêtards avinés chutaient les uns après les autres. Cela n'altérait en rien leur bonne humeur. Mais ils dégrisèrent vite lorsqu'ils ne parvinrent pas à relever un corps habillé en orange, avec une jupe vert électrique, un grand tournesol jaune et vert sur sa coiffe… celui-là était mort

Muté récemment dans la région, l'inspecteur Fred Langlois n'avait toujours pas compris l'engouement quasi — surnaturel et général que suscitait la période de Carnaval chez les Dunkerquois. Sans doute fallait-il baigner dedans depuis tout petit ! Il avait pourtant essayé de s'intéresser à ce phénomène et au gré de ses découvertes, il avait appris que cette tradition remontait loin, très loin. À cette époque, les marins et leurs familles fêtaient le départ des bateaux vers la dangereuse et parfois mortelle mer d'Islande. Pendant quels jours, ils oubliaient le départ qui se faisait imminent ; ils oubliaient même que certains ne reviendraient jamais de cette expédition durant des mois. On buvait, on mangeait pour faire passer les périodes de vaches maigres et la séparation à venir. Les Dunkerquois portaient dans leurs gênes, dans leurs tripes cette tradition ancestrale qu'il ne pouvait comprendre. Et alors que ses collègues et subalternes râlaient parce qu'ils étaient de garde, lui comptait bien travailler comme à l'ordinaire. Cependant, vers la fin de l'après-midi, tout aurait dû lui indiquer que les jours à venir ne seraient pas comme les autres !

Dans l'entrée du commissariat de police, situé dans le dos de l'hôtel de ville, un attroupement bizarre se faisait. On parlait dans tous les sens, on braillait, on agitait à tout vent les fanfreluches dont on était couvert. N'écoutant que son courage, mais surtout mû par la volonté d'avoir le calme et de se débarrasser de ces énergumènes, Fred fit une entrée des plus remarquées au niveau de l'accueil.

— Virez — moi ces comiques ! Il y en a qui bossent ici…

— Mais inspecteur…

— Rien à faire ! Qu'ils aillent faire chapelle ailleurs, sinon on les garde au frais jusqu'à demain !

La troupe des cinq ou six carnavaleux était enragée : personne ne prenait le temps de les écouter. Leurs explications pouvaient sembler vaseuses, mais ils avaient bien vu ce qu'ils avaient vu. Alors le plus calme d'entre eux, le moins excité en tout cas, entreprit d'expliquer son affaire au policier :

— Écoutez. Nous, on fait que notre devoir. Aujourd'hui, c'était la Citadelle (à ces mots, un des joyeux lurons s'agita un peu trop. D'un coup de coude dans l'estomac, il rentra immédiatement dans le rang) et nous, on fait partie de la queue, genre voiture — balai. Souvent, on s'occupe de gars trop cuits, ou dans un état pas possible. Mais là, il faut que vous veniez. J'ai laissé trois de mes copains près du corps. On vous attend !

Au mot « corps », le cerveau de l'inspecteur fit tilt :

— Quel corps ? Ces gars-là a tellement bu que vous ne pouvez même pas le lever ?

— Non, inspecteur. Ce type, il est mort. C'est sérieux !

Personne n'avait plus envie de faire la fête. Un mort pendant les Trois Joyeuses : l'affaire allait faire grand bruit, et pas seulement au niveau local.

La stupéfaction passée, toute l'équipe de l'inspecteur Langlois se rua vers la porte. Les carnavaleux les plus en forme menaient la course, pendant que le reste du groupe restait au commissariat pour faire le récit des événements et faire enregistrer ses dépositions, dans la mesure où ils étaient en état de les fournir.

Quai des Hollandais, l'ambulance des pompiers était déjà présente. Bien sûr, elle était accompagnée de l'inévitable foule de badauds. Lorsque l'inspecteur parvint sur les lieux, il vit que l'intervention des pompiers avait été inutile. À bonne distance du lieu, on discernait déjà la mare de sang dans laquelle gisait le corps. Le chef des carnavaleux fit alors une drôle de tête :

— Je vous jure, inspecteur ! Quand on est allé vous chercher, il n'y avait pas autant de sang !

A priori, la tête maladive des fêtards restés sur place pour garder le corps renforçait son témoignage. Fred s'approcha des pompiers et, après les salutations de rigueur, commença à les interroger :

— Alors, il n'y avait rien à faire ?

— Oh non ! Il était déjà mort avant notre arrivée. Il y en a un qui a eu le courage d'aller prendre son pouls, mais plus rien !

— Et tout ce sang ?

— On n'a pas touché au corps en votre absence. On a aussi contacté le médecin légiste de garde. Mais votre gars n'est pas mort depuis longtemps !

— Inspecteur, l'un d'entre eux a dit qu'au début, ils croyaient qu'il était trop ivre. Peut-être que d'autres l'ont soutenu pendant la bande et qu'il a été blessé ailleurs ?

— Personne n'aurait rien vu ni rien entendu ?

— On voit que vous n'avez jamais fait Carnaval ici ! On s'accroche les uns aux autres pour ne pas se perdre, on pousse, on rigole… alors, un mec qui trébuche, on le relève et on le soutient jusqu'à ce qu'on fatigue. Ses copains sauront toujours le retrouver, s'ils cherchent bien…

L'inspecteur se fit alors une idée du désastre qui l'attendait : bloquer les quais le plus rapidement possible et refaire tout le parcours de la bande, fouiller les poubelles, mais aussi les bateaux, voire drainer les eaux du port… Le procureur de la République en aurait des cheveux blancs et lui n'en dormirait pas jusqu'à ce que l'on trouve des indices.

— Un coup de couteau, une lame de quinze centimètres de large, et en plein dans le ventre. On ne l'a pas loupé, ça, c'est sûr !

Bizarrement, le fait que le légiste soit arrivé en arborant un chapeau à fleurs assorti à son complet de travail ne choqua pas Fred. Le travail continuait, même en plein Carnaval.

Fred et son équipe se mirent eux aussi au travail : il fallait relever un maximum de témoignages en interrogeant les personnes présentes. Étant donné les circonstances, on mettrait dès le lendemain la presse à contribution. Trois des hommes de Fred furent envoyés pour enquêter auprès des riverains, prendre des photographies des lieux et du corps. La fouille de l'ex-carnavaleux revint naturellement à Fred. Cette phase — là d'une enquête le mettait souvent mal à l'aise, mais il s'agissait d'un moment décisif. Fred mit ses gants et commença la fouille, avec toute la conscience professionnelle requise. Il s'aperçut vite que la victime avait pris ses précautions pour éviter les vols : pas de montre, pas d'alliance. À moins que… Dans la doublure de la veste poilue, le portefeuille avait été caché dans une double poche intérieure. Un des mystères était levé : M. Luc Pontoit était décédé le jour de la bande de la Citadelle. Restait à prévenir sa femme, ainsi que son associé dans la conception nautique, Franck Janlieu.

En retrait de la digue et de la plage, à Zuydcoote, la maison de Luc était une maison traditionnelle, étroite, avec ses deux étages, ses petites briques rouges, son petit jardin juste sur l'avant – juste de quoi garer une petite voiture, pas plus. Si Pontoit réussissait financièrement, rien ne l'indiquait. Fred savait cependant qu'il était propriétaire d'un grand bateau de plaisance amarré à Dunkerque. Il avait donc tout investi dans le milieu nautique.

La porte d'entrée s'ouvrit seulement quelques secondes après le coup de sonnette. Une jolie femme mince et sportive regardait avec curiosité les deux inconnus sur le perron de son domicile.

— Mme Isabelle Pontoit ?

— Oui ?

—Police nationale, madame. Je suis l'inspecteur Langlois. Puis-je vous parler?

La jeune femme brune perdit de ses couleurs. Son hâle propre aux gens qui prennent régulièrement la mer avait disparu. Elle s'écarta de l'entrée et, après avoir refermé la porte, elle guida les deux policiers vers le salon. Dans cette pièce agréable à vivre et rendue chaleureuse par le feu de la cheminée, on retrouvait toutes les marques d'un amour absolu de la mer : maquettes et photographies de bateaux, coupes et trophées évoquant un passé de course en mer, agrandissements de prises de vue originales de la ville du corsaire Jean Bart. Mais nulle évocation du Carnaval, comme on en retrouvait souvent chez les aficionados de cette fête : pas de parapluies portant le nom d'une « confrérie » de carnavaleux, pas de photographies de copains prises à l'occasion d'une chapelle… Pendant que Fred observait les murs, Isabelle s'était assise. Silencieuse, elle attendait.

— Madame, les circonstances qui m'amènent sont malheureuses : je viens vous annoncer le décès de votre mari, Luc Pontoit. Je suis sincèrement désolé et je vous présente toutes mes condoléances.

L'épouse prit le coup en plein cœur. Les larmes coulèrent immédiatement, elle fut prise de tremblements nerveux. La jeune agent que Fred avait eu l'idée d'amener prit sur elle d'aller chercher de l'eau dans la cuisine pour apaiser la victime.

—Voulez – vous appeler quelqu'un, Madame ? Ce serait plus prudent de ne pas rester seule !

Les lèvres serrées à en devenir blanches, des spasmes secouant ses membres inférieurs, Isabelle semblait réfléchir, mais à quoi ? Dans un murmure, elle lâcha une réponse :

— Je vais appeler ma meilleure amie, si vous permettez ! Elle sera vite là.

Après un soupir, elle prit son souffle et dit :

— Mais comment ? Que s'est-il passé ? Il était à la bande de la Citadelle !

Dans ses yeux, le besoin de savoir. Elle tendait la main vers la table basse, mais sans réussir à atteindre son portable, pourtant proche. Fred lui glissa discrètement l'appareil dans les mains. Néanmoins, il était évident qu'elle voulait savoir avant tout. Elle n'appellerait pas tant qu'elle n'en saurait pas plus… Fred s'assit à ses côtés pendant que l'agent sortait son carnet, prête à prendre des notes si le besoin s'en faisait sentir. L'inspecteur commença à l'interroger :

— Votre mari était-il un habitué du Carnaval ?

— Oh non ! Il n'aimait pas ça. Il fuyait la foule de façon générale. Mais les bandes, c'était pire, il avait ça en horreur… Cependant, il m'a dit qu'un ami l'avait contacté pour qu'ils se retrouvent lors d'un des défilés des Trois Joyeuses. Alors, il y est allé, mais à contrecœur.

— Il vous a dit qui était cet ami ?

— Non. Tout ce que je sais, c'est que je ne le connaissais pas. C'était un copain d'enfance qu'il n'avait pas vu depuis longtemps… Nerveuse, Isabelle passait ses nerfs sur le portable qu'elle secouait en tous sens. Mais comment est-il… ? Ce doit être un accident, c'est tout ce qui est possible ! Oui, c'est ça, un accident !!!

— Non, madame. Il ne s'agit pas d'un accident. La police pense qu'il s'agit d'un assassinat. Mais a priori, on n'a rien dérobé à votre mari. Ce n'est pas le vol qui est le mobile !

Cette phrase résonnait mal dans cette petite maison calme et sans doute jusque là heureuse.

— Son travail se passait bien ?

Un instant de réflexion et la réponse arriva :

— Oh oui ! Lui et Franck, son associé, avaient décroché un gros contrat pour un système de navigation ultra- moderne, une amélioration du GPS classique. Ce système avait été testé sur notre bateau. Il fonctionnait à merveille !

— Son associé, quand sera-t-il possible de le rencontrer ?

— Franck est à La Réunion avec sa femme. Ils font le tour de l'île en bateau. C'est la période creuse, alors…

— Et vous, que faites — vous pendant la période creuse ?

— Mon mari travaillait sur son bateau, il écrivait aussi des articles pour des revues nautiques ou le Net. Moi, je retravaillais mes photos.

Une vie tranquille, en somme…

L'épouse de la victime avait encore des larmes plein les yeux, plein la tête, mais elle se souvenait, et c'était déjà bien. Avant de la quitter, Fred attendit l'arrivée du soutien d'Isabelle. Lorsque lui et sa subalterne quittèrent les lieux, les deux femmes pleuraient, mais il semblait évident que la meilleure amie, une petite blonde efficace, soutiendrait la veuve.

À une heure du matin, allongé sur le dos dans son lit, Fred réfléchissait une dernière fois à sa journée. Il ne savait plus dans quelle direction aller : l'associé semblait hors de cause, l'épouse aussi, à moins qu'elle ne soit une actrice consommée. Une agression qui avait mal tourné ? Ce serait trop simple ! Dès qu'il en aurait la possibilité, l'inspecteur Langlois irait inspecter le bureau et les affaires personnelles de la victime. Il essayerait aussi de retrouver ce vieux copain d'enfance, qui, étrangement, n'avait pas cherché à prendre des nouvelles de son ami. Pas vraiment clair, tout ça ?

Bien avisé, le procureur avait fait fermer depuis la veille le parcours de la bande. La fouille des poubelles avait été interrompue, à cause de la nuit. Mais dès que celle-ci avait repris, aux aurores, Fred avait, comme ses hommes, mis la tête dans les poubelles. Rien de bien agréable, mais il fallait absolument tout remuer de fond en comble. Le commissaire lui avait bien fait part de l'absolue confiance qu'il avait, mais Fred devrait faire feu de tout bois. S'il le fallait, il était prêt à dépaver un à un tous les trottoirs de la ville pour trouver des pistes et remonter jusqu'au coupable. En attendant, il remplissait avec précision le formulaire pour indiquer ce qu'il avait trouvé, et comment. À côté des sachets hermétiques, sait-on jamais ? Ses gants en latex type seconde peau faisaient suer ses mains, mais il était hors de question de laisser des empreintes sur d'éventuels indices. Les rues autour du port ressemblaient désormais à une décharge à ciel ouvert, à la grande joie des mouettes et des cormorans.

— Inspecteur, j'ai peut-être ce qu'on cherche ! Un policier tenait précautionneusement du bout de ses doigts gantés un couteau à fine lame, tâché de sang. Mince espoir, mais il est vrai que personne n'avait rien trouvé de semblable, depuis quatre heures que duraient les recherches. Rien n'avait vraiment avancé. Alors pourquoi pas un couteau tâché de sang humain ? En l'inspectant sous toutes les coutures, on y découvrit une petite peluche blanche et noire. Cela pouvait correspondre à tant de choses. Il fallait attendre les résultats du labo de Lille pour en savoir plus… Pendant qu'on y était, on enverrait au laboratoire central quelques contenus d'estomac emballés, un ou deux chapeaux en bien piteux état, et divers autres objets dont l'utilité se vérifierait par la suite. Les doubles des photographies seraient aussi examinés, mais a priori, les traces retrouvées à proximité de la poubelle n° 24 étaient les bases, le départ du long martyre de la victime.

Pendant ce temps, la pression médiatique s'était faite de plus en plus forte. C'était une évidence que ce meurtre faisait une très mauvaise publicité au Carnaval dunkerquois, déjà considéré par certains comme un rendez — vous de personnages plus ou moins avinés et dont certains ne dessoûlaient pas pendant plusieurs jours d'affilée. Or, cette image néfaste ne collait pas à la réalité selon les vrais carnavaleux. Les articles des quotidiens régionaux, les reportages et interviews tentaient de relativiser les choses. Évidemment que certains profitaient de cette période festive pour se laisser aller à leurs plus mauvais penchants (drogue, sexe, alcool et rock-and — roll…), mais ce n'était pas la majorité. Et de montrer des images de familles participant à la fin des cortèges ou assistant aux spectacles des défilés hauts en couleur. Et d'interroger le procureur de la République pour avoir des informations de plus en plus précises sur les circonstances du meurtre et l'évolution de l'affaire. Fred, qu'il soit sur les lieux de l'enquête ou à son bureau, ressentait lui aussi cette pression. Les journalistes l'attendaient sur le perron du commissariat ; son supérieur le harcelait au téléphone pour voir à quel rythme progressait l'affaire. Alors qu'il était au domicile d'un éventuel témoin, Langlois, à bout de nerfs, s'était entendu lui répondre qu'à force d'être systématiquement interrompu, il mettrait des années à résoudre cette histoire toute simple. Bip, bip, bip…

La même réponse revenait régulièrement : personne ne connaissait Luc Pontoit. Et pourtant, ce n'était pas faute d'avoir montré Luc sous toutes les coutures. Il y avait pourtant eu quelques avancées positives. Le grand ponte de l'association carnavalesque des Fleut'ches avait apporté quelques éléments. Il regardait pour la énième fois les deux photographies de Luc : son visage déguisé dont les policiers avaient écarté la fleur de tournesol « fanée » — le visage d'un mort —, et ce même visage souriant aux côtés de sa femme — le visage d'un homme plein de vie, à peine quelques semaines auparavant.

— Je crois bien que ce gars me dit finalement quelque chose. Mais par sur la photo avec sa femme, plutôt sur celle où il est grimé. Pauvre type ! Déjà qu'il n'aimait pas le Carnaval, il y est mort, en plus. Ce doit être une horreur pour sa femme !

Fred le laissait parler : lorsqu'un témoin éventuel se laissait aller, Fred avait pour l'habitude d'attendre la fin du flot de paroles.

— Ouais, ce type, je l'ai bien vu. Comment oublier un tel tournesol ? Un des membres de mon groupe l'a pris dans la figure au moins trois fois. Manifestement, il était tout seul ; il cherchait sans doute un de ces copains, car il passait son temps à regarder autour de lui. Il gênait tout le monde parce qu'il n'avançait pas dans le rythme. En plus, il gueulait des trucs sur un clebs, un dalmatien qu'il cherchait partout. Mais on a fini par le lâcher. Où ? Je ne sais plus très bien, vers la 6ème chapelle du parcours, je crois. Le type est le copain d'un copain. Son prénom, c'est Bertrand, un gars bien. Il pourra savoir un ou deux trucs, lui aussi. Je vous file son adresse.

Deuxième témoin potentiel : le gérant du restaurant du Bord du Quai. Les conditions n'étaient pas vraiment idéales pour interroger quelqu'un, mais après le coup de bourre de 13 h – 14 h, les choses iraient mieux.

— OK, inspecteur. On va passer à l'arrière, dans les cuisines. Les gars ont fini leur boulot. Vous me regarderez manger pendant que vous prendrez, euh, un soda par exemple !

L'ensemble de l'équipe de cuisine s'activait pour redonner à la cuisine un peu de son éclat d'avant. Pendant que les uns assuraient la plonge et rangeaient la vaisselle, les autres astiquaient dans tous les sens. Un vrai travail de fourmi qui s'exécutait comme un ballet dont la chorégraphie aurait été répétée des centaines de fois ! Fasciné, Fred était debout au milieu de la cuisine et autour de lui tournaient les piles d'assiettes, les casseroles reluisantes, les balais espagnols…

— Ce serait peut-être mieux pour tout le monde si vous veniez vous asseoir. Mon équipe va finir par vous mettre par terre !

— Oh, excusez — moi ! C'est la première fois que je passe de ce côté — là de la porte…

— Ça impressionne, hein ? Et encore, on ne dépasse pas les trente — quarante couverts ! Bon, on parle de votre affaire ?

Assis dans un coin de la cuisine, Fred avait l'impression de tenir un conciliabule. Il montra au restaurateur la photo du décédé. Il obtint une réponse négative :

— Non ni le gars ni le tournesol ! Tout ça ne me dit rien du tout !

– Pourtant, on m'a dit que c'est à la hauteur de votre restaurant que le « tournesol » avait disparu de la foule !

— Ça se peut bien, mais en tout cas, je ne l'ai pas vu chez moi… Remarquez, avec le monde qu'il y avait, c'est pas évident d'en être sûr !

Déçu de repartir sans renseignements supplémentaires, Fred quitta le restaurateur. Soudain, il revint dans les cuisines. Il venait d'avoir une illumination : si ça se trouvait, lui, on l'avait vu…

— Excusez — moi de vous déranger à nouveau, mais j'ai juste une dernière question à vous poser. Un dalmatien, ça vous dit rien, un dalmatien ?

— Je suppose que c'est pas d'un chien perdu que vous me parlez ! Un type déguisé en dalmatien… Non, je ne vois pas, désolé !

Le restaurateur allait porter son verre de vin à sa bouche lorsqu'il s'écria :

— Si, si… ça me revient ! J'ai bien vu un type déguisé en dalmatien lors de la chapelle que je donnais. Je ne peux pas vous garantir que c'est l'homme que vous cherchez, mais il y en a bien un qui est passé en milieu d'après- midi. Il a pas mal bu ! Combien ? Trois ou quatre bières, je pense. Nerveux ? Je n'ai pas fait attention, mais assoiffé, c'est sûr ! D'autres détails ? Il était assez grand. Mais tout le monde pourra vous dire qu'un déguisement peut être trompeur ! Mais à mon avis, c'était une belle carrure, un sportif quoi ! C'est tout ce que je peux vous dire…

Deux jours plus tard, les résultats étaient parvenus à la police, ainsi qu'au procureur de la République. Le verdict était clair : le sang était celui de Luc. Mais il y avait un deuxième donneur qui avait aussi laissé son sang sur le couteau. Il restait pour l'instant celui d'un homme inconnu. Pour la peluche, elle correspondait à des composants pour déguisement. En attendant les résultats, Langlois n'avait pas perdu son temps. Mais comment retrouver un déguisement noir et blanc, près de quatre jours après la bande ? Un criminel intelligent aurait détruit son costume, et donc plus de traces ! Sauf si... sauf si le meurtrier était un carnavaleux dans l'âme. Certains gardaient leurs déguisements pendant des années. C'était un signe de reconnaissance ! Le procureur l'avait aussi informé que les médias participeraient à la recherche en prêtant photos et vidéos.

Les photos avaient pu être recueillies auprès de la presse régionale — qui attendait évidemment un scoop en échange —, mais aussi auprès des différentes associations de carnavaleux. À l'heure du numérique, la police avait pu les copier sur les disques durs du commissariat sans passer par l'étape de l'attente horripilante du développement. Sur l'écran un peu obsolète de l'ordinateur défilaient des images d'anonymes en train de s'amuser de tirer la langue aux photographes ; certains buvaient directement à la bouteille, et, d'après leurs têtes, Langlois était sûr qu'il ne s'agissait pas d'eau de source... Des couples s'embrassaient ; on voyait même des gosses promenant fièrement leurs boas et leurs petits parapluies. C'était donc ça : les enfants étaient imprégnés de cette culture très tôt. Comme les adultes, ils hurlaient des chants dont ils ne comprenaient pas toujours les paroles ; ils se déguisaient avec un art non dissimulé ; ils posaient devant les appareils, fiers comme Artaban... À travers la plupart de ces photos, Langlois commençait à saisir le vent de folie qui s'emparait de la ville pendant des semaines. L'année prochaine, il lui accorderait peut-être plus d'attention... Machinalement, Fred faisait défiler les dizaines de photographies. Il commençait à être lassé de ces heures passées devant l'écran. Soudain, il vit Luc et son drôle de costume : étonnant, c'était le moins que l'on puisse dire ! Remotivé, Fred fixait l'écran avec une intensité nouvelle. Il avait au total opéré une sélection de quelque cent photographies comportant soit Luc, soit le dalmatien suspect. Mais aucune ne les représentait ensemble. Au fil de la journée, l'affaire semblait aller de plus en plus vite, comme les images qui défilaient sur l'écran de télé. Deux étapes dans la recherche du coupable : identifier Luc et son costume bariolé ; repérer dans son entourage immédiat un costume noir et blanc, un chien de grande taille en l'occurrence. Une série de photos servait de base à la vidéo. Pour la énième fois de la journée, Fred assistait à une scène de chahut. Tout à coup, il se redressa sur sa chaise.

— Arrête, arrête !

Le technicien fit un arrêt sur image et comprit la réaction épidermique de Fred. Sous leurs yeux, Luc était attrapé par une patte blanche et noire. L'avancée image par image permit de suivre la suite : Luc s'approchait tant bien que mal d'un grand dalmatien. Puis, il disparaissait de l'écran pendant quelques secondes. Ensuite, on le retrouvait bras dessus — bras dessous avec ce grand dalmatien. Soudain, on le perd de vue, la caméra ayant zoomé au loin. Fred bondit et ordonna qu'on lui amène toutes les photos où figurait un dalmatien. Une cinquantaine de photos atterrirent sur la table. Il y en avait partout, de ces bestioles — adultes, hommes, femmes, enfants, mais celui qui était recherché avait un signe particulier, que Fred et son équipe avaient repéré sur les vidéos : un collier rouge avec une plaque « Doudou ». Les agrandissements des photos numériques étaient on ne peut plus nets et révélateurs.

— Doudou, on te tient !

— Doudou ! Bien sûr qu'on le connaît… Il fait partie de la bande des Joyeux Flamands, annonça le portier du bal aux policiers. Je crois bien qu'il est rentré il n'y a pas vingt minutes ! Si vous voulez le trouver, il va falloir atteindre le bar, et croyez — moi, à cette heure, ce n'est pas évident.

À 1 h 30, ce dimanche 7 mars, un certain Didier Hoverlynck, dit Doudou, déguisé en dalmatien, intégrait le dortoir n° 3 de la maison d'arrêt de Dunkerque. Motifs de l'incarcération : tentative d'escroquerie et meurtre avec préméditation. Pourquoi avoir tué Luc ? Il avait refusé de lui vendre son projet de guidage à plusieurs reprises, malgré leur amitié, puis les menaces proférées. Pourquoi une dernière rencontre ? Pour lui faire comprendre qu'on ne rigolait pas avec lui !

UNE SI DOUCE ENFANT![7]

L'écharpe blanche se resserrait autour de son cou délicat. Dans quelques instants, tout serait fini. Un sourire vint alors illuminer son visage et les larmes cessèrent de couler. Elle regardait son agresseur droit dans les yeux, comme si elle disait : « Ce n'est pas parce que tu fermes les yeux que ça fera disparaître ce que tu as fait... ». Les deux mains humides relâchèrent la pression sur l'écharpe et un dernier soupir s'échappa sous la formed'un nuage de vapeur et de vie.

Les portes de Mysterious Worlds pièce 4 s'étaient refermées sur Axel, Hugo, Greg, Terry et Quentin. Ils étaient prêts : soixante minutes pour décoder toutes les énigmes posées et sortir de cette atmosphère étouffante. Mais le principal challenge n'était pas là : les cinq adolescents voulaient battre le record de cinquante minutes établi quelques semaines auparavant. S'ils faisaient tomber ce record, c'était photos grand format dans le hall d'accueil et sur la porte, ainsi que des bons d'achat. Dans cette pièce 4 à l'allure de vaisseau spatial, tout n'était que caisses à

---

7   Cette nouvelle appartient au cycle 2.

débloquer, barrières à ouvrir, trappes qui glissaient ou se soulevaient... C'était la room la plus populaire du complexe, avec son décor inspiré des classiques des films de science-fiction, ses aliens qui apparaissaient sur des écrans vidéos. Toutes les cinq minutes, l'intensité de la lumière diminuait et au bout d'une heure, c'était le black-out total.

– Qui a le dernier chiffre à poser ? Hugo, dépêche — toi, on perd du temps...

— Laissez faire le beau gosse, les gars ! Et j'enclenche le 17... Et normalement, ça va faire "clic" !

Effectivement, un clic retentit dans la salle. Mais rien n'apparut aux garçons ; rien ne leur tomba dessus ; aucune trappe ne s'ouvrit sous leurs pieds. Pourtant, le clic continuait à se faire entendre. Hugo, beau gosse auto- proclamé, avait la main posée sur l'imitation de sarcophage extra-terrestre posé à côté d'eux. Il appela ses camarades:

— Eh, ça vibre là-dessous ! Le bruit vient de là ! On dirait que leur truc est coincé ! Faut appeler les gens qui bossent ici !

— Ouais, ils vont devoir nous rembourser, sérieux !

— T'as raison ! On raque déjà assez, alors si ça marche pas ! On y va...

Ce fut le pauvre Stéphane, en charge du site le week-end, qui eut l'honneur funeste de la découverte. Lorsqu'il éteignit tout le système électrique de la salle, il débloqua l'immense tiroir que la résolution de l'énigme devait permettre de propulser vers l'extérieur. Au lieu d'une momie d'alien, ce fut le corps d'un joli ange blond qui apparut.

« Le concept de Mysterious Worlds est spécial. Un thème par salle et les gens choisissent ce qui leur plaît. Grâce à un code, on adapte au public l'ambiance, le niveau de difficulté : noir complet, chaleur ou froid extrême... Le client choisit son ou ses options pour corser le jeu. On est deux à faire tourner la boutique, un à l'accueil, l'autre à la technique. »

La présentation faite à l'inspecteur Thomas Dulac et à son partenaire, Greg Lacoste, était idyllique. Mais de tout cela, ils ne retiraient qu'une chose : il n'y aurait pas trop de témoins, et donc de suspects à interroger. Mais cela signifiait aussi qu'ils allaient devoir passer des heures à regarder des enregistrements vidéo. Thomas conserva un ton sec et distant :

– Qui a reconnu la jeune fille ?

— C'est moi. Je suis étudiant, je bosse ici tous les week-ends. La gosse, je l'ai reconnue, car elle venue hier avec son groupe d'amis. C'était la plus jeune, mais ils étaient en adoration devant elle. Un charisme impressionnant !

À la question portant sur l'heure du départ des jeunes gens, l'étudiant perdit de son assurance. Il prit le temps de la réflexion et répondit presque en murmurant qu'il pouvait dire que le groupe était parti vers 23 h, mais qu'il ne pouvait pas jurer qu'ils étaient bien cinq. Il les avait juste vus de dos, enveloppés dans leurs grosses doudounes ou leurs longs manteaux.

Le médecin légiste attendait patiemment aux côtés du corps, toujours prisonnier de son cercueil. Pendant que Greg récupérait les noms des compagnons de la jeune morte et essayait de les contacter, Thomas devait affronter cette épreuve, seul. Voilà des mois qu'il ne s'était pas retrouvé en présence du cadavre d'un enfant... Il avait manœuvré pour éviter ce genre d'affaires depuis son échec dans l'arrestation d'un pédophile multi- récidiviste. Lorsque son équipe et lui avaient découvert le dernier cadavre d'une toujours trop longue série, il avait dû admettre qu'il avait depuis longtemps les preuves de la culpabilité d'un suspect complètement inattendu... Toutes ces morts avaient hanté ses nuits, le rendant malade et l'empêchant de regarder sa propre enfant dans les yeux. Aujourd'hui, ils ne se parlaient même plus.

— Désolé que ça tombe sur toi, Tom ! Tu vas tenir le coup ?

— C'est notre métier, non ? Ne t'inquiète pas, cela devrait aller ! Un avis sur la mort ?

— Je ne veux pas faire ton boulot, mais je pencherais pour une querelle d'amoureux ! On se met en équipe de deux et on file dans un coin. Mais la fille n'est pas d'accord alors...

Une voix nasillarde répondit dans leurs dos :

— Alors là, c'est tout faux ! Ils sont restés à cinq, pas par équipe ! L'information délivrée par Greg corsait un peu plus l'affaire : qui avait eu l'opportunité de la tuer ? Quand ?

Mains gantées de blanc, à genoux devant le corps, d'abord hésitant, puis plus sûr de ses gestes, Thomas fouilla le corps avec précaution. En bougeant légèrement l'écharpe, il vit des traces rouges : strangulation. Un long cheveu brun était emmêlé dans les fibres de l'écharpe. Dans les sacs plastiques atterrirent aussi un bouton de manteau arraché, ainsi qu'un mot chiffonné trouvé dans une poche. Sans oublier des résidus de peau trouvés sous les ongles. La jeune fille devait s'être débattue, car on accepte difficilement de mourir à cet âge ! Au bout de quelques minutes, l'adolescente avait livré ses principaux secrets. L'autopsie seule permettrait d'en apprendre plus et permettrait d'expliquer l'étrange sensation sur l'écharpe et la trace d'un objet incrusté dans la main gauche.

– Vous dites qu'elle s'appelait Louane Magniard et qu'elle avait seize ans. Comment la connaissiez-vous ?

— On était des amis de son frère, Maxime. Il est mort il y a environ un an. Louane est un peu comme une petite sœur pour nous : on la connaît depuis qu'elle est toute petite et elle traînait toujours avec Max.

— Et quelle raison aurait-on pu avoir de tuer cette jeune ?

À la même question, les quatre suspects répondirent de façon identique :

— On ne comprend pas ! Personne ne lui aurait voulu de mal... Elle était si gentille et sympa !

Mais à force de patience, Thomas et Greg avaient réussi à faire sauter les barrières. La brune Elena avait fini par dire qu'elle ne supportait plus l'insolence de la "gamine". Depuis la mort de son frère, elle était devenue infecte. Elle ne comprenait pas qu'elle n'appartenait plus au groupe. Elle voulait se conduire comme une adulte, mais c'était juste une gosse. Son fiancé,

Téo, un beau blond type mannequin, avait, de son côté, dit qu'elle l'avait ouvertement dragué lors de leur dernière soirée commune :

— Elle était habillée de façon carrément indécente. Son frère n'aurait jamais supporté ça ! Mais elle s'en foutait littéralement. Elle s'est collée à moi comme une sangsue, et ça a rendu Elena complètement dingue. Elle a attrapé la petite Louane par les cheveux et lui a collé une gifle.

— Vous pensez que Elena aurait pu aller jusqu'à faire du mal, enfin encore plus, à Louane ?

Téo leva les yeux vers le plafond et croisa les bras. Au bout de quelques secondes de réflexion, il répondit :

— Honnêtement, non, je ne crois pas ! Elena était saoule, c'est tout ! Elle ne ferait de mal à personne. En plus, on ne s'est pas quitté.

— À aucun moment ? Vous en êtes sûr ?

— Je l'ai même accompagnée aux toilettes. Je peux donc vous certifier qu'elle n'a pas pu faire de mal à la petite.

Dès que le petit couple eut fini de témoigner, ce fut le tour du troisième membre du groupe, Yanis :

— Et vous, Yanis, vous êtes sûr que tout allait bien avec Louane ?

Le jeune homme d'une vingtaine d'années se mit à hésiter :

— Oui, oui, ça allait ! Je l'aimais bien, cette petite. On se voyait au moins une fois par mois...

— Mais si tout se passait si bien, pourquoi vous a-t-elle griffé jusqu'au sang ?

D'instinct, Yanis glissa sa main gauche sur celle de droite. La sueur perla sur son front.

— Les examens viendront nous confirmer ce que votre geste vient de nous révéler ! Pas de chat ou autre excuse ?

— En fait, Louane m'a cherché. Comment vous dire ça ? Par moments, c'était une vraie gamine. Elle a joué à me chatouiller ; on s'est amusé un moment puis soudain, elle s'est retourné vers moi et m'a griffé la main... Elle m'a fait super mal et en plus, elle avait l'air fière d'elle !

— Vous êtes sûr qu'elle a accepté de jouer avec vous ou bien est-ce vous qui l'avez cherché ? Et puis, à un moment donné, allez savoir pourquoi, les choses ont dérapé. Vous vous êtes emballé et vous l'avez étranglée. Vous ne vouliez pas la blesser, c'est certain, mais c'est un accident. Dommage !

Yanis pâlit. Il semblait proche de l'évanouissement...

— Non, non ! Vous ne pouvez pas dire que c'est moi! Je n'ai absolument rien fait ! Elle était super mignonne, c'est sûr, mais jamais je n'aurais fait ça. Maxime est, euh était, un de mes meilleurs amis. Je l'ai connue gosse et pour moi, elle était intouchable ! En plus, c'est une mineure... Je sais qu'il y a des risques de fou à sortir avec une ado.

Restait Alex, le dernier de la bande, et apparemment le plus proche de Maxime. Il avait passé toute leur scolarité ensemble, les parents de l'un emmenaient l'autre en vacances. Ils étaient inséparables. Alex était un beau brun de type méditerranéen. Il s'assit avec assurance à la table pour être interrogé.

— Alors Alex, vous avez disparu à un moment de la circulation pendant l'après-midi de samedi ?

— Pas moins ou pas plus que les autres. Il y a eu des moments où on était séparé pour jouer à un des jeux d'énigmes dans le noir. Même nos amoureux sont partis chacun de leur côté. Enfin, je pense. Si ça se trouve...

Greg coupa net à ses remarques :

— Ce que vos copains ont fait dans le noir, nous, on s'en moque, tant qu'ils n'ont pas tué votre amie. Vous avez suivi Louane ?

— Non, j'ai pas fait ça. Je ne la pistais pas tout le temps. Bien sûr, elle était comme une vraie petite sœur pour moi, mais jamais je ne l'aurais touchée, au grand jamais !

— Quand vous êtes sortis, vous vous êtes pas inquiétés pour la gosse ?

— Pourquoi on l'aurait fait ? Elle nous avait fait un caprice dans l'aprèm. Elle savait qu'on devait aller à l'Escape Game, mais elle voulait aller faire du shopping d'abord !! Alors, on a négocié : Escape Game d'abord, puis shopping après. Je lui ai même promis de lui acheter un truc. Ça marchait toujours avec elle. Je la connaissais par cœur. On a tous pensé qu'elle nous avait lâchés malgré tout !

Thomas réagit à cette remarque :

— Vous lâcher ? Votre copain, Yanis, lui, prétend que la petite Louane s'est bien amusée avec lui. Vous en pensez quoi ?

— Yanis est un type cool. Louane aimait bien le charrier, mais il y a des limites à tout. Même si elle était devenue pénible...

— Vous voulez dire " chiante ", non ?

— Oui, c'est ça, si vous voulez... Bref, depuis la mort de Maxime, elle avait vachement changé. Comme si... comme si elle nous en voulait en fait !

— Mais de quoi aurait-elle pu vous en vouloir ?

— Aucune idée là — dessus. Elle avait son caractère, la miss. J'en sais pas plus, je vous l'assure.

Dans les heures qui suivirent, les vidéos confirmèrent qu'aucun des jeunes n'était sorti paniqué. Ils marchaient tous les quatre d'un pas tranquille. L'un d'eux indiqua une direction vers la gauche, d'un signe de tête... Désignait-on la direction qu'aurait pu prendre l'adolescente ? Quoi qu'il en soit, ils avaient pris cette direction. Le tueur, qui était l'un d'entre eux, était d'un calme olympien. L'analyse de l'équipe technique vint encore ajouter un certain trouble. Après une lecture rapide, Greg fit un résumé à Thomas :

— OK. Bon, la gosse a été tuée dans le recoin en travaux, comme tu le pensais. Autre chose : la trace repérée dans la main est une trace de chaîne — maille figaro apparemment. Qu'est — ce que ça pourrait être ?

Thomas prit la photo qui figurait dans le dossier et se concentra dessus :

— Cette marque est au creux de sa main. Elle a donc tenu quelque chose au moment de mourir et elle en a fait un truc aussi fort qu'une empreinte. Reste à savoir si c'est un collier ou un bracelet. Tu as repéré un objet de ce type sur nos suspects ?

— Sur la fille, je n'ai rien vu. Elle avait une chemise largement ouverte et rien. Tu penses que si la petite avait tiré là-dessus de toutes ses forces, elle aurait aussi marqué son agresseur ?

— Je suis persuadé que oui. Si c'était un collier, Elena porterait une grande marque sur la gorge. Or, comme moi, tu as bien vu qu'il n'y a rien... Et sur les poignets de la fille, il n'y avait aucune trace non plus...

— C'est vrai qu'elle ne cachait pas grand-chose, sa chemise. Hyper transparente. Tu m'étonnes qu'elle ne pouvait pas encadrer la gosse si celle-ci allumait son fiancé !

Thomas se leva et se dirigea vers la fenêtre. Le front collé à la vitre, il éclata de rire :

— Cette Elena, elle ne tuerait personne. Tu as vu ses ongles ? Une vraie princesse. Si elle avait étranglé Louane, il y aurait des bouts de laine de l'écharpe de la jeune sous les ongles. Ils ne seraient pas aussi top, je te jure ! Elle ne ferait rien qui abîmerait sa petite personne. Et puis, aller dans la zone de travaux ? Très peu pour elle... Sur la vidéo, on voit que ses chaussures valent plusieurs fois notre salaire... Tu peux continuer, s'il te plaît ?

Greg reprit sa lecture :

— Dernier point : tu as encore raison pour l'écharpe. Le liquide trouvé sur l'écharpe correspond bien à des larmes. Tu es magicien ou quoi ?

Thomas haussa les épaules :

— Rien que de bien normal ! La gamine avait des pétéchies dans les yeux, prouvant qu'elle avait été étranglée. Mais elle avait aussi les yeux rouges, comme si elle avait pleuré... Il y avait encore de l'humidité sous ses paupières. Donc elle a pleuré !!!

Greg eut un petit sourire.

— Il y a juste un truc que tu n'as pas envisagé, Einstein.. Il y a deux types de larmes : celles de Louane et celle d'un tiers !

— Un homme en l'occurrence ! Rappelle — toi qu'on a déjà éliminé Princesse Elena de la liste des suspects. En plus, je ne la vois pas pleurer sur le sort d'une éventuelle rivale. Je l'imagine plus à tuer sa rivale à coup de talon de 12... Par contre, côté gars, c'est moins clair ! Yanis a l'air trop fragile pour faire ce genre de truc.

— Ouais, un chouineur... Il s'est fait griffer jusqu'au sang par la gamine. Mais rien n'indiquait la présence d'un bracelet. Je ne miserai pas un sou sur lui.

— Pour les deux autres, c'est confus. Le fiancé, je le sens pas vraiment clair ! Il s'est plaint de s'être fait allumer par la petite, mais en même temps, tu as vu comment il s'est redressé pour nous dire ça. Il était fier de lui !

— Et s'il avait voulu répondre à ses avances ? Et que la petite ait voulu le faire chanter? Tu crois que c'est possible ?

— Pourquoi pas ? Tout est possible dans ces cas... Alex m'interroge aussi pas mal. Il a l'air nickel... Franchement, j'ai l'impression qu'il y a un truc qu'on sait, mais ça m'échappe. Je déteste ça ! Thomas envoya un coup de point rageur dans l'encadrement de la fenêtre et se dirigea vers son fauteuil.

— Ça fait longtemps que t'as pas été sur une telle affaire ! Tu t'en tires bien, dis donc, on dirait presque que cette affaire ne te touche pas plus que ça ! »

Thomas se racla la gorge et laissa s'installer un lourd silence : il détestait qu'on lui remue sans arrêt le couteau dans la plaie. Il avait vécu enfermé pendant des semaines suite à son précédent échec. Il n'avait pas supporté de trouver pour la dernière fois un cadavre d'enfant. Celui-ci était mutilé, des traces de violences sexuelles étaient visibles. Après des semaines d'investigation et des nuits peuplées de cauchemars, Thomas avait fini par procéder à l'arrestation d'un notable du coin. Ne pouvant supporter plus d'horreurs, il avait demandé à être muté temporairement dans les bureaux. Mais au final, il n'avait pas tenu loin de l'action, loin de la justice à laquelle il participait au quotidien. Cette enquête marquait son retour et il devait réussir à savoir qui était l'assassin de Louane, pour la petite, mais aussi pour lui, bien sûr ! Il lui fallait réinterroger les suspects, que ce soit chez eux ou ici, au commissariat.

Au fil des interrogatoires, le voile se déchirait : cette si douce enfant était sympathique et attachante. Mais par moments, elle piquait de véritables crises d'hystérie. Jusqu'alors, son frère l'avait protégée, mais elle pouvait être vraiment insupportable.

— Bref, on resserre autour d'un homme...

— Qui a une chaîne ou une gourmette !

— Oublie la chaîne, Greg ! Vu sa taille et celle des deux garçons du groupe, elle n'aurait pas pu serrer aussi fort un collier ! Le seul moyen d'avoir cette incrustation dans la main, c'est de l'avoir attrapée pendant qu'on l'étranglait !

— Ça pourrait être celui qu'elle a griffé, Yanis ?

— Non, je suis sûr que non... On a bien vu ses mains lors de notre dernière entrevue : aucune trace au niveau des poignets ! Celui qui a tué doit avoir encore la trace de son bracelet incrusté dans le sien ! Et il faut faire vite avant que les hématomes ne disparaissent. Sinon on est mal.

— On élimine Téo... Les papouilles dans le noir, ça nous fait une belle jambe. Reste Alex, le meilleur ami de son frère, son grand frère « adoptif » ».

Revenir sur les lieux du crime n'avait rien d'évident pour Thomas. Il avait anticipé sa rencontre avec le suspect. Mais il devait pousser aux aveux sur place et là, c'était une première.

— Bon, Alex, on peut discuter toute la journée ou vous nous dites pourquoi vous avez tué Louane.

— Pourquoi pensez-vous que cela pourrait être moi ?

Greg intervint pour indiquer le mobile classique, l'amour déçu... Mais Thomas coupa court :

— C'est bien l'amour, le mobile ! Mais pas celui auquel on pense, n'est — ce pas ? Louane ne vous intéressait pas, contrairement à Maxime...

Axel cessa de fixer le sol et regarda Thomas, les yeux humides :

— Max et moi, on était tout l'un pour l'autre... Au début, des frères, des amis, mais aussi des... amants ! Cela a duré quelques mois, mais personne ne savait ! Il y a des choses qui ne se disent pas dans nos milieux... Nos parents n'auraient jamais accepté cela !

— Alors, pourquoi avoir tué la petite ? Maxime est mort et personne ne sait rien ! Vos pouviez continuer votre vie tranquille.

— Louane a tout appris, je ne sais pas comment. Elle passait son temps à nous coller ; elle a peut-être piraté ses mails, j'en sais rien ! Mais la semaine dernière, elle m'a dit qu'elle savait tout, que j'étais responsable de la mort de son frère et que je paierai pour cela.

Le reste des explications se perdit dans les sanglots d'Alex : Maxime avait eu un accident de voiture en revenant d'une soirée un peu arrosée. Ils faisaient parfois cela quand l'ado n'était pas là. En plus, Maxime et lui s'étaient violemment disputés et avaient rompu. Mais dès le lendemain, ils se seraient réconciliés, comme d'habitude. Pour Louane, Axel était doublement responsable de la mort de Max, ils l'étaient tous ! La petite l'avait menacé et quand ce samedi, elle l'avait attiré dans le coin sans caméra, elle avait plus qu'insisté : il devait mourir comme son frère, car c'est lui qui était le vrai responsable ! Il avait perverti son frère et l'avait éloigné d'elle... Quel que soit le temps que cela prendrait, il paierait. Les autres paieraient aussi, en tant que complices ! Leur tour viendrait ! Face à ces menaces, il avait soudain perdu le contrôle et il se voyait tout le temps en train de commettre le geste fatal. Lorsqu'il fut entre les gardiens de la paix, Axel eut une dernière requête :

— Surtout, ne dites pas pourquoi j'ai fait ça à Louane ! Ne leur dites surtout rien, parlez-leur d'amour, comme votre collègue a essayé de le faire tout à l'heure !

De retour à son domicile, Thomas alla jeter un coup d'œil à la chambre de Julie, sa fille. Depuis sa séparation avec son épouse, il ne l'avait plus revue. Il prit son téléphone portable et appela un de ses contacts :

– Allo, Steph ? C'est Tom... Non, ne raccroche pas ! Je t'appelle pour savoir ce que vous faites avec Julie samedi prochain ? Je ne travaille pas et j'aimerais qu'on puisse se voir. Ça vous dirait un Escape Game, tu sais, ce truc à la mode !!! Olivier a ses garçons ? Et bien, ils pourraient se joindre à nous. Ce serait sympa de faire quelque chose ensemble, avec les enfants...

MPH Univers Horreur/Fantastique

Le tournage d'un film amateur qui tourne à l'horreur en pleine soirée d'Halloween... Des fantômes et des yokaï qui prennent vie dans un appartement tokyoïte.. Où s'arrête la raison et commence le mystère ???

TOUT DEVAIT FINIR COMME ÇA !

« Tout ça pour finir là ! », voilà ce que devait penser le pauvre Peter Anderson enfermé dans son caveau.

Ce n'était pas du tout comme cela que Peter Anderson, Drew Austin, Melville Prentiss, Harry Spread et Joan Carlson avaient imaginé passer leur soirée d'Halloween. Ils étaient partis pour filmer le projet de fin de semestre du Club Cinéma dans la joie et la bonne humeur, avec quelques bières pour aider. Mais que ça s'achève en veillée mortuaire, ça, c'était le bouquet final, ou l'Apocalypse... Et tout ça pour finir avec un bras !

« Moteur... Action ». Melville Prentiss, caméra à l'épaule, dirigeait son chef d'œuvre. La nuit d'Halloween était propice à tous les délires et justement, il en avait un : faire une énième nuit des morts — vivants et autres zombies à la sauce Projet Blairwitch. Et pourquoi ne pas finir façon Project X ? On était clairement là pour s'en donner à cœur joie tout en se filant des frissons d'amateurs de films gores.

L'équipe autour de Melville était composée de trois autres membres du Club Cinéma. Drew Austin avait l'ambition de devenir acteur. Mais ses parents le voyaient plutôt avocat en droit des affaires. C'était un beau gosse blond au visage poupin comme seuls les États-Unis savent en produire. Il était indéniablement intelligent, mais son esprit pratique était très limité. En voulant rendre service à Melville, il avait déjà failli éborgner deux figurants avec la perche ; il avait renversé son café sur sa partenaire de jeu et déchiré sa chemise. Un bon garçon, mais doté de deux mains gauches. À la lumière, il y avait Harry, Harry Spread. Ce gaillard un peu rondouillard depuis qu'il avait abandonné l'équipe de soccer avait une sorte de pouvoir : il savait détecter la magie de la lumière (ou du clair — obscur, sa spécialité) en toutes circonstances. Il était essentiel au travail de Melville et lui avait déjà permis d'obtenir un premier prix pour son court métrage sur la Nature. Vif d'esprit, mais assez timide, cette place de second de cordée lui convenait parfaitement. Peter Anderson, quant à lui, s'occupait du son et des accessoires. Diplômé en Biologie, il avait intégré le Club Cinéma récemment, mais avait su se rendre indispensable. Sa grande connaissance du corps humain et son sens du détail en faisaient un accessoiriste de talent. Pour ce film d'horreur, il avait reproduit avec une aisance inimaginable — et une imprimante 3D — des viscères plus vrais que nature, un sang gluant à souhait (au bon goût de framboise), des chairs déchiquetées innombrables, des mains coupées à vous coller des frissons... Il avait œuvré avec talent depuis des mois, enfermé dans sa chambre d'étudiant, qui était devenue une véritable chambre mortuaire au fur et à mesure que l'on s'approchait de la date du tournage... La fille du groupe s'appelait Joan Carlson. Cette jeune femme de vingt et un ans était déterminée et très ingénieuse. Elle n'était pas un membre rajouté du Club, mais une des co- fondatrices avec Melville. Diplômée en Informatique, elle travaillait sur les montages. Mais elle était aussi un véritable génie du maquillage professionnel. Elle avait passé des heures à compulser des vidéos et des tutoriels sur les réseaux sociaux pour atteindre le sommet de son Art. Tantôt blonde à cheveux longs, tantôt brune avec une coupe asymétrique, c'était un véritable caméléon. À sa grande satisfaction, on ne lui avait pas attribué le rôle de la fille un peu nunuche qu'il y a toujours dans les films de ce genre. Elle était au même niveau que ses camarades masculins, avait son mot à dire, pouvait jurer et insulter autant qu'elle le voulait.... Un vrai bonheur, cette équipe ! Pour être au complet, il ne faut pas oublier leur mentor, celui qui avait instillé à ces jeunes l'idée de faire du misérable Club Cinéma du début un groupe actif et brillant, acteur de son talent et découvreur de petits génies du cinéma. Il s'agissait du professeur de littérature anglaise, Mr Jeffreys, véritable éminence grise du petit groupe de fous de cinéma. Melville était tombé sous le charme de cet intellectuel brillant il y avait de cela deux ans. Il avait bu ses paroles, lu ses livres, assisté à ses conférences organisées au sein de la fac ou improvisées dans un bar quelconque sur le campus. C'est grâce à lui que Melville, aidé de Joan, avait repris la main sur le Club Cinéma et l'avait fait renaître de ses cendres. C'était aussi Mr Jeffreys qui avait inspiré à Melville le projet de court métrage en période d'Halloween. À force de contemplation et de temps passé près de son mentor, Melville avait fini par s'apercevoir que le professeur ressemblait fortement à Méphistophélès, en tout cas tel que Melville se représentait le Septième Prince des Ténèbres. Il possédait un charisme hors norme, était d'un abord des plus agréables ; ses yeux brillaient d'intelligence, mais aussi parfois d'une certaine cruauté lorsqu'il faisait passer les étudiants les plus faibles devant un amphithéâtre plein. Avec ses cheveux noirs, sa taille fine, il était l'élégance même. Son petit bouc pointu rajoutait une pointe d'originalité, agrémenté d'un petit sentiment d'insécurité qui affriolait les demoiselles.

Il avait fallu faire un casting pour recruter une dizaine de prétendants à la «zombitude ». La plupart de ces jeunes avaient été recommandés par le professeur Jeffreys. Au bout de deux après-midis non-stop, le Club Cinéma avait sélectionné ses dix figurants : quatre garçons, trois filles, une nunuche (Joan avait insisté pour qu'on classe la jeune fille à cause de tous les clichés qu'elle représentait à elle seule), et deux ils-ne-savaient-pas-trop-quoi jumeaux (mais sans doute les meilleurs acteurs amateurs de zombies de tous les temps).

C'était donc le grand soir pour toute l'équipe. Tout avait été calculé au millimètre près, tout était anticipé. Le script était précis, tiré au cordeau. Mais il faut croire que ce 31 octobre devait rester dans les mémoires collectives pour bien d'autres raisons.

Sous les instructions de Melville, membres du Club, acteurs et figurants se mettaient en place pour la scène du campus. La nuit venait de tomber et l'éclairage naturel était somptueux, le travail de Harry permettant juste de le sublimer. Drew, pomponné de frais, jouait l'étudiant qui sortait de cours, avec ses bouquins à la main. Il descendait les marches dans le soleil couchant et une jeune fille, douce et délicate, venait l'aborder.

— Coupez ! Joan, t'es pénible... Garde tes réflexions pour toi !

— Sérieusement, qui va croire que quelqu'un va venir lui bouffer le cerveau, à cette fille ? Faudrait déjà qu'elle soit équipée. On dirait du…

— Non, ne dis pas ça, marmonna Peter. Ne dis pas ça...

— On dirait du Uwe Boll, là, c'est fait !!! cria Joan

— Oh, c'est pas vrai...

Melville crispa ses mains sur la caméra ; il serra sa mâchoire du mieux qu'il put et se tourna vers Joan comme si son corps n'était fait que d'un bloc de métal froid...

— Pardon ?

— Elle déconne, Melville. Elle raconte n'importe quoi, intervint Drew qui avait lâché ses bouquins sur les escaliers du bâtiment.

— Elle a comparé le scénario à celui de UB ? articula difficilement Melville. Il cala la caméra dans les bras de Drew et aboya sur Joan :

— C'est quoi, ton problème ? Sérieux... Tu débloques. Ici, c'est pas du Boll du tout qu'on tourne. C'est pas parce qu'il y a une blonde stupide (la blonde stupide en question fit un petit coucou de la main accompagné d'un sourire gêné en direction de Joan) qu'on est dans le nanar... Le scénario, on l'a bossé avec Mister J, on était tous d'accord sur le contexte, la date... Alors, qu'est-ce qu'il te prend ? »

Joan baissa les yeux et balaya le sol dans son pied. Elle l'attrapa par le bras et murmura à l'oreille de Melville :

— Faut qu'on cause... Et maintenant !

Joan entraîna Melville à l'écart. Là, elle lui confia ses angoisses :

— Y a un truc qui ne colle pas avec ces gars...

— Quels gars ? On se connaît tous !

— Pas nous, abruti... Ces gars-là... Et du doigt, elle indiqua les figurants masculins qui attendaient assis sur un banc. Regarde ces deux-là...

— Tu parles de nos jumeaux, ceux que nous a envoyés Mister J ? Je vois pas où est le problème. Ils sont excellents, ces gars...

— Écoute, j'ai essayé de les maquiller tout à l'heure... Bin, ça m'a fait bizarre quand j'ai eu un bout de peau dans la main, je te jure !

— C'est sans doute qu'ils étaient passés entre les mains de Peter avant et il y a un truc qui a déconné, c'est tout ! Faut pas t'inquiéter pour ça.

— Non, mais tu t'entends... Ils sont vraiment bizarres, ils ne comprennent rien. L'un d'eux m'a même reniflé les cheveux.

— Un fétichiste, un de plus...

— Il m'a demandé, non grogné, si ce que j'avais dedans sentait aussi bon que ce que j'avais dehors. Il a même commencé à baver ! Tu imagines ! Et la blondasse, elle est louche aussi...

Melville regarda par-dessus l'épaule de Joan. La jolie Jenny n'avait certes pas l'air d'avoir inventé l'eau froide. Cependant, elle avait l'air très sympathique, en plus d'être très mignonne... Pour le film, on avait plus flashé sur son physique que sur ses capacités intellectuelles. Jenny s'était rapprochée de Drew pendant la conversation. Melville les voulait proches, mais pas trop non plus. Il discuterait de cela avec le beau gosse tout à l'heure, un problème à la fois !

— Quand je l'ai coiffée, j'ai littéralement eu une mèche de cheveux qui m'a atterri dans les mains. Sur le coup, j'ai cru que j'avais arraché ses extensions. Mais non, ce sont ses vrais cheveux. J'en avais la main pleine. Et à moins que cette fille suive une chimiothérapie, ce dont je serais particulièrement désolée pour elle, on ne perd pas nos cheveux par poignées quand on a notre âge...

— Bon, on va procéder de la façon suivante. On se remet au boulot, car là, on va être en retard sur le timing et on va louper la fête déguisée qu'on doit filmer. Je piste les drôles de zozos pour être sûr qu'ils te laissent tranquille. En faisant passer le mot aux gars, tu peux être sûre qu'on va te laisser tranquille. Pour la fille, on l'éloigne de Drew et on s'en débarrasse dès que possible ! Ça te va comme ça ?

Joan se gratta la joue, leva les yeux au ciel, soupira et finit par répondre :

— OK, on fait comme ça. Vous surveillez les zigotos, vous virez tout le monde dès que c'est fini et on boucle ce film.

— Donc pas de fin à la Project X ? Peter haussa les épaules. De toute façon, c'est pas grave... Mister J était pas d'accord avec ça. Pour lui, le film doit s'achever dans un cimetière de la ville.

Joan et Melville se serrèrent la main pour sceller leur accord et le tournage reprit. En deux heures, l'intégralité des scènes se passant sur l'extérieur du campus avait été tournée. Harry avait géré l'affaire comme un pro : il avait su compenser la perte de la luminosité naturelle par un recours à des éclairages adéquats. Après le montage, les spectateurs n'y verraient que du feu.

La fête battait son plein dans la salle commune du bâtiment B de la faculté de Lettres.

Les basses résonnaient sur la grande esplanade et les cris des fêtards retentissaient dans la nuit. La petite troupe devait être sur place vers vingt-deux heures, avant que l'alcool n'ait fait trop de dégâts. Hélas, trois fois hélas, il était déjà vingt — trois heures quand ils franchirent les portes de la salle. L'alcool coulait à flots. Sorcières échevelées, vampires et vampirettes, croque-morts et morts-vivants se livraient à des danses endiablées, un verre, ou plusieurs, à la main. Les momies se dandinaient avec des Jacks — the — Lantern, qui seuls n'arboraient pas un quelconque verre à la main. Au milieu des décorations en papier de sorcières sur leurs balais, parmi les citrouilles grimaçantes ou souriantes, il y avait de l'alcool à n'en plus finir, mais aussi des bonbons dans de grands bols.

L'équipe du Club Cinéma était aux anges. L'ambiance était idéale, les étudiants étaient gais, mais pas trop atteints par l'alcool... Que rêver de mieux ? Harry regarda les spots, grimaça un moment et prit la parole :

— Ces spots m'ennuient un peu. Mais il y a des trucs corrects à faire... J'installe une ou deux lampes parapluies là et à l'autre bout, ça va le faire.

— C'est toi le patron, acquiesça Melville. Drew, tu poses deux micros paraboliques, un vers les buffets — et tu m'évites les baffles, s'il te plaît. L'autre sera planté au milieu, avec les supports... Par pitié, tu n'embroches personne avec ce truc... Joan, tu me fais un léger raccord sur Drew et Jenny, mais que ça reste naturel...

— Moi, j'ai besoin de rien faire, c'est excellent... J'ai pas besoin de rajouter des accessoires. Les gars sont tellement déguisés que j'ai rien à travailler.

Les fêtards se contentèrent de se pousser. Plusieurs chefs de confréries et de sororités vinrent discuter sympathiquement et à chaque fois, tout le monde se retrouvait avec un verre à la main. Une fois la mise en place faite, Melville haussa la caméra sur son épaule, positionna ses acteurs et il lança le tournage :

— On est naturel, les gars... Je ne suis pas là ! Jenny (il claqua des doigts devant les yeux de la jeune blondinette)... Ouh ouh. On tourne !

Les acteurs et les figurants se mirent en place, commencèrent à danser parmi les zombies et les autres créatures et Melville hurla : « Moteur ! Action ! ». Tout le monde se déchaîna sur la musique que DJ-Frankestein avait poussée presque à son maximum. Les vitres vibraient sous la pression du son. Agressé par tout ce bruit, Peter s'était mis en retrait dans l'entrée de la salle commune. Il regarda l'écran rétro éclairé de sa montre. Il arma la caméra de son smartphone pour avoir l'ensemble de la scène et rajouter des éléments au montage (ça, c'était son idée). Si tout se passait bien, la première attaque de zombies sur les acteurs allait démarrer dans 3, 2, 1... Deux des figurants se précipitèrent sur Drew et sa compagne : l'un d'eux tirait l'actrice par le bras droit et commença à essayer de la mordre. Jenny se débattait comme prévu et d'un coup de coude, elle envoya valser la mâchoire de son agresseur... Peter était fier de son travail, on croyait vraiment que le gars avait une mandibule en moins. De l'autre côté, Drew se battait avec un gars qui essayait désespérément de le mordre. Le pseudo- zombie bavait d'envie en tirant les cheveux blonds de Drew... Soudain, une chose surprenante arriva : sans doute sous l'emprise de l'alcool, une des momies fêtardes sauta elle aussi sur Drew dans l'intention de le maintenir pour faciliter le travail du zombie. Peter chercha Melville dans la foule, celui-ci devait savourer ce moment d'improvisation, car il tournait sur lui-même avec la caméra en pointant son pouce vers Peter... Joan dansait dans son coin, un verre à la main, mais le sourcil en l'air, intrigué. Harry se dandinait lui aussi, près du buffet... Il buvait et mangeait à volonté. Peter remarqua qu'il devait être bien imbibé, car Harry se tenait à la table.

Melville fut tout à coup bousculé par de trop nombreux danseurs, trop agités, trop quoi... Emporté par le poids de la caméra, il finit à genoux et manqua être piétiné par la foule. Joan se précipita pour l'aider à se relever. Aucun dégât sur le matériel, mais une pommette ouverte pour

Melville. Du sang commençait à perler sur sa joue gauche. Un mouchoir fut gentiment agité sous le nez de la jeune fille. Joan s'en empara, commença à appliquer celui-ci sur la plaie et attendit. Peter venait d'arriver pour écarter les fêtards, Harry faisait barrage de son corps. Cependant, l'ambiance commençait vraiment à se détériorer ; on se poussait de plus en plus autour de Melville et Joan ; les cris de la fête étaient en passe de se transformer en grognements agressifs ; le matériel était bousculé au point que l'une des lumières parapluies se déchira... Le coin devenait vraiment malsain... Drew cria pour se faire entendre de Joan :

— Faut se tirer de là au plus vite. Ils deviennent carrément fous !

— Ouais, t'as raison. Rassemble tout le monde et on file !

— Et le matos ? Laisse tomber... Peter et Harry prennent leurs sacs à dos, on prend la cam' et on se tire !

Le temps pour Joan de mettre Melville debout et toute la bande mit les voiles. Elle s'attarda un court moment pour rendre le mouchoir ensanglanté à son légitime propriétaire et elle suivit l'équipe. Mais la précipitation peut parfois s'avérer mauvaise conseillère. Si elle avait pris le temps de se retourner avant de fuir, elle aurait vu l'aimable propriétaire du mouchoir le portait à son nez, puis le mettre avec délectation à la bouche. Elle se serait aussi aperçu qu'ils avaient abandonné un de leurs figurants parmi cette foule désormais enragée.

— C'est quoi, ce truc de dingues ? Je pensais pas que l'alcool rendait fou à ce point !, hurla Harry, entre deux vomissements.

— À mon avis, il y avait des saletés qui traînaient dans cette fête...

— Et pas de la bonne, marmonna Drew.

La petite bande était au milieu des pelouses du parc. Melville avait enfin arrêté de saigner et on avait pu nettoyer sa blessure. Peter, qui avait toujours tout sur lui, avait posé un pansement pour refermer la plaie. Jenny était assise à côté de Drew, qui avait du mal à dessoûler. Angoissé, il ne cessait de se mordiller la lèvre jusqu'au sang. Melville analysait la caméra : pas de dégâts apparents. Peter, installé à côté de Joan, essayait de comprendre ce qui avait pu se passer en regardant la vidéo prise sur le téléphone de Peter. Tout était aussi confus que dans leurs souvenirs, sauf que là, ils sentaient bien qu'il y avait quelque chose de louche... Ils regardaient la même scène sans arrêt : la fausse bagarre qui avait vraiment dégénéré.

— Regarde... Joan pointa du doigt un personnage. Ça, c'est un de nos figurants bizarres... On dirait qu'il fait un signe à quelqu'un...

— Oui, tu as raison. C'est pas prévu, ce genre de truc... Tu arrives à le reconnaître, toi ? Parce que, moi, j'arrive pas à les distinguer l'un de l'autre...

— Je crois que celui-là (elle se retourna pour dévisager le second jumeau qui était parmi eux), c'est Andrew... Donc l'autre, sur la vidéo, c'est…

— Matt... Où il est d'ailleurs ? Andrew, où est Matt ? cria Peter à l'attention du pseudo-zombie. Ce dernier secoua la tête et haussa les épaules...

— Punaise, on l'a laissé là — bas... Peter se leva et entreprit de faire le compte des membres du groupe. Attends, il manque encore quelqu'un...

— C'est une blague ? Joan se leva à son tour... T'as raison, bon sang. Il y a encore un absent, ils sont passés où ? Tu crois qu'on doit le dire au professeur ? C'est quand même lui qui nous les a recommandés.

— Au prof, je ne sais pas, mais à Melville, c'est sûr. Et faut faire ça discrètement pour pas affoler les autres... On est mal, sérieux !

Peter rejoignit Melville alors que celui-ci visionnait les enregistrements sur l'écran de la caméra. Il lui murmura leurs doutes à l'oreille et Melville secoua vigoureusement la tête. Il ne fallait rien dire à Mister J. Ils se débrouilleraient bien tous seuls, le tournage devait continuer coûte que coûte. Melville sortit le plan du film de sa poche et dit :

— Bon, les gars, on est reparti.On doit filer au bar Nocturna. Il y a une soirée sur le thème Orgies d'Halloween, ça va être bien gore, je sens !

Harry se redressa, son agonie post- beuverie était finie ; Peter enfila son sac à dos, Joan mit le sien en bandoulière ; Drew releva sa compagne et les figurants restants s'apprêtèrent eux aussi à partir. Joan s'approcha de Melville et lui murmura :

— Tu connais l'expression qui dit que tu frissonnes parce qu'on marche sur ta tombe ? Bin là, j'ai l'impression que je suis enterrée vivante tellement je ne sens pas ce qui se passe...

— T'inquiète ! T'es toujours aussi paranoïaque, toi ! Fais - moi confiance un peu. Ce sera un chef d'œuvre.

— Ouais, on verra !

Un bruit bizarre (des feuilles d'automne écrasées ? Des branchées secouées ?) fit se retourner le duo. Le bruit gagnait en intensité, mais impossible d'en savoir l'origine... Il semblait venir de nulle part et de partout à la fois. Réflexe cinématographique ancré en lui, Melville mit immédiatement sa caméra en marche. Il intima l'ordre à Harry de braquer son spot portatif vers un buisson imposant.

En parfait chevalier servant, Drew se mit devant Jenny. Melville ne pouvait pas louper cette scène non plus. Il tourna donc sa caméra vers le couple. Mais à peine avait-il détaché son objectif de la plante qu'une créature sombre en bondit... Une chose immense, sur quatre pattes, certes, mais rien à voir avec un quelconque chat sauvage ou un chien errant. C'était une chose de près de un mètre dix au garrot, avec un poil noir luisant à la lumière de la Lune, avec une dentition brillante et une mâchoire que l'on devinait capable de broyer des os sans effort. Un grognement puissant montait du fond de sa gorge, tel un râle venu tout droit des Enfers. Si elle avait eu trois têtes, cette charmante bête aurait bien mérité le surnom de Cerbère... Son haleine est à proprement parler fétide et Harry, qui en était le plus proche, eut des haut-le-cœur. Les yeux rouges lançaient des éclairs et la bestiole semblait prête à tout déchiqueter sur son passage. D'un coup d'œil rapide, elle choisit sa cible, ou plutôt ses cibles : deux figurants castés pour le film. La fille devait l'attirer, car elle avait un corps sportif et musculeux ; le garçon, un peu plus empâté, devait être alléchant en plat principal. L'animal se jeta donc sur ses victimes. D'un coup de patte, il arracha la tête de la jeune fille. D'un coup de queue, il assomma le garçon. Les cris d'horreur des spectateurs de sa tuerie ne l'effrayaient pas ; à peine le gênaient-ils pour profiter tranquillement de son repas post- carnage. D'un coup de griffes délicat, il ôta la peau de la fille et entreprit de dévorer le tronc. On sentait le gourmet dans la façon dont il se léchait les babines. Sa deuxième victime venait à peine de se relever qu'un nouveau coup de queue la remit KO... En relevant la tête, la bête regarda s'il y avait d'autres hors-d'œuvre bipèdes. Si on se fie à la façon dont elle huma l'air, elle en avait visiblement trouvé d'autres. Elle se mit donc à courir après les membres de notre bande de vidéastes amateurs... La course des jeunes fut rapide, extrêmement rapide. Ils atteignirent hors d'haleine un abri à l'intérieur d'une bouche de métro. Essoufflés, épuisés, ils n'arrivaient pas à mettre leurs idées en place.

— Tu vois, je te l'avais dit... Y a un truc qui craint ce soir...

— Melville, faut écouter Joan, ajouta Peter. On a un gros souci là... Comment tu vas expliquer ce qui s'est passé au professeur Jeffreys ?

— OK, OK, soupira Melville. On fait une dernière scène, les gars, s'il vous plaît... Juste une dernière ! Après, on contacte la police et Mister J.

On ne retrouvera jamais cette pure expression de la peur !

— T'es vraiment dingue, lâcha Peter.

— Si quelqu'un n'est pas d'accord, qu'il s'en aille maintenant. Moi, je ne vous demande que quelques minutes. On fait la prise et on arrête tout...

Les partenaires de Melville se regardèrent, et hochèrent la tête d'un commun accord. Ils le suivaient une dernière fois, direction le Nocturna.

— Je vous avais prévenu que ce serait un truc d'enfer, regardez - moi ça , hurla Melville pour que sa voix couvre la musique.

Le videur les avait laissés entrer lorsque Melville avait donné le nom du professeur Jeffreys. Mister J, voilà le nom qui ouvrait bizarrement toutes les portes pendant cette nuit d'Halloween. Peter, pour mettre la pression à Melville, avait lancé son chronomètre. Ils avaient prévu de passer vingt minutes, et pas une de plus, dans cet antre démoniaque. Pas le temps de placer les micros extérieurs, Harry les équiperait de micro- cravates. Cela permettrait de gagner du temps. Joan passa des lingettes matifiantes sur le visage des acteurs principaux, un petit coup de poudre sur les figurants survivants. Puis, Peter devait les transformer en zombies convaincants à l'aide des accessoires qui emplissaient son sac.

Le décor était tout simplement délirant. D'immenses flûtes à champagne étaient remplies d'un liquide rouge pétillant (un esprit mal venu pourrait penser qu'il s'agissait de sang réel) ; les guirlandes qui tombaient du plafond représentaient des dents ; des squelettes en plastique hurlaient à la Lune dès qu'on s'approchait de la porte des toilettes. Dans ce décor rouge et noir, les croix décoratives des pierres tombales semblaient encore plus morbides que d'habitude. Joan était au bord de la crise d'angoisse pendant que Drew passait du rouge au blanc... Pour se calmer, il s'enfila deux whiskies secs d'affilée et décida d'embrasser Jenny. Encore une des grosses erreurs de cette soirée. Melville engagea donc tout le monde à se mettre en place, autour d'une table. Dans le scénario, le couple et ses amis fictifs devaient discuter d'un plan pour échapper à une attaque démoniaque. Un faux conciliabule se mit donc en place. Les micro- cravate captaient mal, mais vu les circonstances, on n'aurait rien de mieux... Peter ne quittait pas sa montre des yeux... Neuf minutes avant de quitter les lieux, huit minutes... Le temps passait trop lentement à son goût, mais ils seraient bientôt sortis et pour l'instant, tout se passait bien. Tout à coup, Drew perdit complètement pied, sans raison apparente. Avec le recul, Peter et Joan réalisèrent que tout avait démarré avec la sonnerie de la montre de Peter... Le bip-bip leur déchira les tympans et provoqua une rupture dans l'esprit de Drew. Celui-ci se leva d'un bond, renversant la table sur son passage. Les cocktails éclaboussèrent tout le monde, les verres s'éclatèrent sur le sol. Melville hurla à un Drew devenu complètement fou et incontrôlable de se calmer. Lorsque celui-ci tournait son visage vers lui, ses yeux étaient inexpressifs, vides. La peau de ses lèvres commençait à craqueler, desséchée. Drew arracha son bras à la pression de Joan, qui atterrit au pied du comptoir. Il repoussa Melville d'un geste puissant et prit la main de Jenny. Elle aussi avait changé quelque peu. Les néons du bar ne l'avaient pas vraiment améliorée, mais ils révélaient ce que tout le monde avait refusé de voir jusque là : les lambeaux de peau commençaient à devenir de plus en plus visibles ; ses cernes s'étaient creusés et ses yeux paraissaient vides, aussi vides que ceux de Drew. Son élocution s'était elle aussi bien dégradée. L'équipe avait d'abord mis ça sur le compte de l'essoufflement après la fuite. Par la suite, on n'avait pas pu repérer cette évolution à cause du bruit du bar. Drew repoussa les gens qui les entouraient et tenta de gagner la sortie. Harry se mit sur leur passage pour les arrêter, mais il ne put que saisir le bras de Jenny. Qu'elle ne fut pas son horreur lorsqu'il resta avec le bras de la demoiselle à la main ?

— Grrrrr, fut la seule réponse de Drew.

— Désolé, ne sut que rétorquer Harry.

— Grrrrrr, lança à son tour Jenny.

L'horreur de cette soirée d'Halloween n'avait - elle donc plus de limites ? Peter donna un grand coup de sac dans la tête de Drew et il fila derrière ses compagnons de galère. Derrière la musique du bar, un squelette se mit à hurler à la Lune.

— Mister J... Euh, Monsieur Jeffreys ? C'est Melville. On a un sacré problème. Vous me croirez jamais... Oui, on a avancé le film. Mais c'est pas ça le souci ! … On a été attaqué, Monsieur, on a été attaqué par des créatures... Non, je vous jure, j'ai pas bu. Enfin si, mais c'était il y a longtemps, et il reste rien, je vous jure... Y a eu des zombies, des momies, puis des vampires, je pense aussi... Non, nous on va bien. Mais on a perdu pas mal de gens... Vos figurants, on est désolé ! Et Drew, aussi, on a rien compris... Je crois qu'il est devenu un zombie. Oui, un zombie ! Non, je ne déconne pas ! En tout cas, pour Jenny, on est sûr ! … Harry a d'ailleurs son bras à la main ! Bin oui, on se promène avec un bras qui est pas à nous !.... OK, on y va tout de suite ! Au deuxième étage, on y sera !

Un quart d'heure plus tard, l'équipe du Club Cinéma se disputait devant la bibliothèque de la faculté de lettres. Coups bas, insultes... Tout était permis. Les figurants avaient depuis longtemps déserté les lieux et face aux horreurs vécues, sans doute envisageaient-ils d'aller suivre une thérapie de plusieurs années. Seul le noyau dur était là, à se hurler dessus et à se jeter des invectives à la tête...

— Moi, je ne marche plus, répétait Joan... On n'a toujours pas prévenu la police, et même le prof. semble s'en foutre...

— Mais non, il veut nous voir justement à ce sujet, répondait Melville inlassablement. Faut lui faire confiance, il va nous tirer de là !

— Tu rigoles ou quoi ? , hurla Harry. À chaque fois qu'on a suivi ses directives, on a eu des ennuis. La fête, le bar, même le parc...

— Si tu t'en prends à lui, tu t'en prends aussi à moi. Ce scénario, on l'a monté ensemble. E t puis, vous avez donné votre accord, cracha Melville.

— Notre accord sur le scénar' et pour le film, mais pas pour tout le reste... Y a sans doute des gens qui sont morts...

— Ou qui feraient mieux de l'être..., estima Peter. Bon on fait quoi, là ? On reste à s'engueuler comme ça ou on rentre dans la bibliothèque ?

En bon chef de groupe qu'il s'estimait être, il prit une décision qui lui fendit le cœur.

— Ok. Voilà ce que je propose : ceux qui veulent venir voir Mister J. viennent avec moi, les autres peuvent rentrent chez eux.

Seul face à sa conscience, chacun put réfléchir et prendre la décision qui lui semblait la meilleure. Harry fut le premier à déclarer :

— Moi, je me tire... Ça suffit tout ça ! Et d'agiter le bras de Jenny dans tous les sens.

— Pas de soucis, je comprends.Par contre, ça serait bien que tu nous laisses le truc, le bras, pour qu'on le montre au prof.

— Ton bras, tu peux en faire ce que tu veux, mon cher. En plus, il sent la chair crevée. J'en ai pour des mois à faire passer cette sale odeur. Et de jeter le bout de chair pourrie au sol.

— Moi, je reste, déclara Joan. Mais j'attends des explications de la part du prof. C'est pour ça que je veux le voir !

— Parce que tu penses qu'on peut expliquer cette soirée, ricana Peter. Je reste aussi, mais pas pour toi, Melville. Juste parce que j'ai tellement investi de temps dans ce projet et que je veux moi aussi des explications.

Il ramassa le bras et s'en servit pour taper sur ses baskets. Un dernier au revoir et les trois membres restants du Club Cinéma montèrent pour rejoindre le professeur au deuxième étage. Vaste étendue de livres sous une verrière XIXe, la bibliothèque du département de lettres était un lieu enfin apaisant pour nos aventuriers d'un soir. Personne ne se serait douté que tourner un court-métrage occasionnerait autant de sueurs froides.

— Il a dit qu'il serait dans la partie des livres sur l'ésotérisme et les croyances. Il cherche à comprendre ce qu'il s'est passé. J'avais dit qu'on pouvait lui faire confiance.

— Attends, on verra ça quand on y sera. D'abord, on m'explique et je verrai ce que je ferai, rétorqua Joan.

— On y est, deuxième rangée. Il doit être dans le coin, regardez, il y a des livres sur la table.

Le professeur avait laissé ses affaires sur la table, mais nulle trace de lui aux alentours, ce qui contraria un peu plus Joan. Elle était là pour mettre les choses au point, et non perdre encore un temps précieux. Cependant, une réaction de Melville attira son attention vers le bureau de l'enseignant. Les prises de notes étaient posées pêle - mêle, bien loin de la rigueur à laquelle Mr Jeffreys les avait habitués. Les livres étaient posés en vrac, comme si une nouvelle idée avait surgi au dernier moment, le genre d'illumination qui fait tout abandonné sur place. Et pourtant, quelque chose ne collait pas. Départ précipité ? Fuite ? La sensation de malaise s'accentua lorsque Peter, trop occupé à compulser les notes laissées, recula et produit un bruit de verre brisé. Il regarda sous ses chaussures et trouva une paire de lunettes....

— Il irait loin, Jeffreys, sans ses lunettes ?, demanda Peter

— Je crois pas, non. Il craint la très forte luminosité et il est myope comme une taupe, répondit Joan.

— Alors, on a un sacré problème. Parce que je viens de retrouver ses lunettes.

— Où ça ?, interrogea Melville. Parmi les livres ?

— Non, plutôt sous mes chaussures...

— Ah ouais, dit Joan. Ça concorde avec ce que je viens juste de trouver.

Melville et Peter se rapprochèrent de la jeune femme qui était à genoux au pied d'une étagère.

— Ça, c'est du sang, ou je ne m'y connais pas, estima Peter.

— Il y en a pas mal, et il est assez frais, en plus, ajouta Joan.

— Punaise, ne me dis pas ça, murmura Melville. Manquerait plus que ça pour bien être en galère.

— Et ce truc, si c'est pas un bout de chair bien attaquée, j'ai vraiment rien compris, mentionna Joan en indiquant un morceau de couleur chair passée. Il manque plus que les vers frétillants et on est bon. Même l'odeur me rappelle un truc !

Peter s'empressa de cacher derrière son dos le bras désormais puant de Jenny. Un vrai bonheur cette soirée. La seule nuance était que l'on n'arrivait pas avant la catastrophe, mais bien après, et ce pour la première fois de la soirée.

— Bon, là, c'est trop pour moi, dit Joan en se relevant et en écartant une grosse mouche du morceau de peau qu'elle avait trouvé. Je rentre chez moi. Finalement, les explications, je m'en moque. Ça peut attendre demain que le jour se lève. J'ai eu la trouille pour les années à venir. Et si j'étais vous, je ferais la même chose.

Toujours de dos, elle rajusta son blouson sur ses épaules, récupéra son sac bandoulière et se retourna. Ses yeux étaient plein de larmes. Jusqu'à présent, personne ne pouvait se vanter de l'avoir vue pleurer. Ses nerfs étaient complètement en train de lâcher.

— Moi, je reste là tant que j'ai pas retrouvé Mister J. On peut pas lui faire ça, s'insurgea Melville.

— Fais comme tu veux. Je cherche même plus à te convaincre. Je ne sais pas si c'est ce type qui est en danger, ou nous, à présent. Mais moi, je rentre...

D'un pas décidé, Joan quitta le deuxième étage de la bibliothèque, bousculant Melville d'un coup d'épaule au passage. Peter aurait voulu l'arrêter, mais il savait que Joan ne reviendrait pas en arrière. Il décida donc de rester pour retrouver le professeur disparu. Ils pensaient tous qu'ils se retrouveraient le lendemain...

Une feuille au sol, cachée sous la grande table de lecture, permit aux garçons de progresser dans leurs recherches.

— Regarde ce que j'ai trouvé..., chuchota Melville en tapant sur l'épaule de son dernier ami. Mister J. a trouvé un vieux plan de la bibliothèque.

— Dis, tu crois qu'il s'est fait attaqué par des...

— Je sais pas ce qui lui est arrivé, mais crois — moi qu'on le saura quand on l'aura retrouvé. Bon, je te disais, il a trouvé un plan avec des sorties secondaires...

Melville leva le plan et la lumière, il passa sa main au dos et reprit :

— Regarde, il a repassé un des chemins. Peut-être qu'il s'est enfui, en fait. Ouais, c'est ça, il a été attaqué, blessé. Mais il nous a laissé un message pour qu'on le trouve, je suis sûr ! Il avait l'air pressé au téléphone tout à l'heure...

— Tu lui fait vraiment une confiance aveugle, c'est ça ?, interrogea Peter, jonglant avec son bras mort.

— J'irai jusqu'au bout du monde pour lui, même en Enfer.

— Ah bin ça, on y est presque, jugea Peter.

— Alors, on y va, proposa Melville. Jusqu'au bout, on verra bien.

Si Melville était un as de la caméra, son sens de l'orientation était une vraie catastrophe. Après moult tours et détours, ils finirent par trouver une piste, plus toute fraîche certes. Mais un espoir réel. Des fragments de la veste fétiche de Mr Jeffreys étaient coincés dans une vieille porte battante qui devait dater de la construction de la bibliothèque. Un coup d'œil rapide entre eux et les garçons poussèrent la porte de toutes les forces. Jeffreys devait être mort de peur pour avoir réussi à pousser cette porte seul. Leur point d'arrivée les laissa stupéfaits : la porte qui venait de s'ouvrir les avait amenés tout droit dans le royaume des morts, le vieux cimetière. Sous l'éclat de la lune blafarde qui glissait entre les nuages, les croix recouvertes de lierres et de plantes sauvages semblaient suspendues. Le hululement d'un hibou les fit sursauter ; le frôlement d'un animal sauvage passant dans leurs jambes les fit hurler. Amer, Peter dit :

— Je crois bien qu'on y est, là. On est bien en Enfer !

La folie avait doucement grandi et insidieusement fait son nid dans l'esprit des deux garçons. Depuis le début de cette satanée soirée d'Halloween, leur raison avait été suffisamment mise à mal pour les conduire au basculement. Plus rien n'avait de sens, ni ce film, ni cette soirée, ni les créatures qu'ils avaient rencontrées. Ils nageaient dans un délire vivant. Est-ce de voir la veste de leur professeur et idole tranquillement pliée et posée sur une pierre tombale ou est-ce d'entendre une voix murmurer :

— Vous voilà enfin, vous en avez mis du temps ! Deux, c'est mieux que rien !

Rien ne permit d'expliquer la folie qui s'empara des deux jeunes. Melville saisit le scénario qu'il avait toujours gardé dans la poche, tel un talisman et à la faveur d'un rai de lune, il lut la position de la dernière scène du film : « cimetière abandonné de Hashford ». Pile dedans ! Et l'heure, l'heure aussi était presque exacte : le script indiquait une heure trente du matin, alors que la montre de Peter marquait deux heures. Melville comprit soudain les enjeux de cette nuit. Hurlant, s'arrachant les cheveux de rage, il prit le scénario et le réduisit en miettes. Il entreprit ensuite de s'écorcher la peau avec ses ongles. Des ombres rampantes commençaient à s'approcher et Melville continuait à délirer. Il ordonna à Peter de courir se mettre à l'abri, de filer droit devant lui. Avant que les êtres obscurs ne s'attaquent à lui, Melville hurla à pleins poumons :

— Dis-leur que je regrette ! J'aurais jamais dû...! .

Peter courut sans se retourner. Derrière lui, il entendait les cris de douleur de Melville. Il y eut ensuite un bruit spongieux : le cœur de Melville encore palpitant était offert aux âmes errantes qui avaient traversé le portail de l'Autre Monde pour cette unique journée de l'année. Le Prince des Ténèbres, Samhain, avait reçu un nouveau sacrifice. Sentant derrière lui le souffle chaud de créatures inconnues, Peter cherchait un endroit où se réfugier. Un vieux caveau ouvert à la porte branlante lui sembla la meilleure solution. Il rentra dans l'espace humide, imprégné de mousse et de champignons. Il étouffa d'abord dans l'air saturé d'humidité et fut saisi par le froid. Peter tira derrière lui la porte et se cacha derrière une stèle. Au pied de celle-ci se trouvait un banal cercueil en bois, du chêne probablement. Le jeune homme ne respirait plus, il écoutait les bruits de l'extérieur. Il regarda sa montre et vit que vingt minutes seulement s'étaient écoulées depuis leur entrée dans le cimetière. Son téléphone portable ne captait absolument rien. Il devait donc se débrouiller aussi, tout seul. Dans combien d'heures le Soleil allait-il se lever ? Cinq, six heures. Il devait tenir autant de temps caché dans cet endroit inquiétant et malsain.

Lorsqu'il se réveilla, Peter était roulé en boule autour de son sac. Son blouson n'avait pas suffi à le protéger du froid ; il avait donc replié les bras à l'intérieur de son sweat pour tenter de se réchauffer. Il ouvrit les yeux dans l'obscurité et à quatre pattes, alla écouter à la porte si ses ennemis le traquaient encore. Il avait pris avec lui le bras de Jenny. Il pouvait peut-être servir à se défendre, ne serait-ce que quelques minutes. Pendant que son oreille était collée contre la porte, qu'il tentait désespérément d'entendre quelque chose, il ne remarqua pas que le couvercle du cercueil derrière lui se déplaçait petit à petit. La nuit n'était pas finie…

CONTE(S) DE KAMISHIBAÏ.

Je m'appelle Kosuke. Suzuki Kosuke. Je porte le même prénom que mon grand- père, Kosuke. Kosuke le Conteur. Je l'ai inhumé aujourd'hui, je sais que je ne le reverrais jamais plus. La crémation a eu lieu cet après-midi et toute la famille l'a mis dans une urne, à l'aide de baguettes de cérémonie. Ma grand- mère a ramené l'urne au cimetière pendant que moi, je prenais l'avion pour rentrer à Tokyo.

J'observe mon reflet dans la baie vitrée. Dehors, les grands panneaux publicitaires illuminent le ciel noir de nuages et de nuit. Les étoiles ont disparu pour laisser place à un enfer de lumières artificielles. Tout le monde dit que je ressemble à Kosuke le Conteur, mon héros. Celui qui a bercé ma jeunesse en m'entraînant avec lui de village en village avec son Kamishibaï pour seule richesse. Nous partions sur son vélo, roulant au milieu des rizières et de champs. Les paysans que nous allions distraire le soir courbaient l'échine sous le soleil et je me considérais comme privilégié de pouvoir faire rire ou pleurer ces braves gens. J'étais un magicien aux pouvoirs extraordinaires. La région vallonnée de Fukuoka était sillonnée par mon grand- père et par moi. Nous dormions chez les habitants et repartions au bout de quelques jours. Pendant ces soirées d'été, nous faisions revivre des contes folkloriques ou des histoires merveilleuses issues de l'imagination sans limite de mon grand- père. Ce dernier avait eu l'idée de génie de créer de petites ombres chinoises articulées pour faire vivre son petit théâtre. Malheureusement, mon bonheur aux côtés de Kosuke le Conteur prit fin à mes sept ans, quand mes parents vinrent me chercher pour aller vivre avec eux à Tokyo. Le ne revis plus mes grands- parents qu'une fois l'an. Mais je gardais ce lien magique avec mon grand- père. Et alors que je me regarde dans la baie vitrée, c'est lui que je vois. Et malgré toute la peine qui m'habite, je souris. Je lui souris! Je reconnais son nez légèrement busqué, ses yeux pétillant de malice qui éclaire un visage si doux! Les larmes aux yeux, je me détourne de notre image et vais prendre place sous le kotatsu. Devant moi se trouve une boîte miraculeuse. Mes mains sont impatientes de toucher son contenu. Dès que le couvercle est ouvert, je retrouve l'odeur de mes étés d'enfant. Kosuke le Conteur a laissé à son «disciple» son matériel de Kamishibaï. Je l'installe sans hâte, dépliant les architectures fines de ce théâtre de papier. Dans des enveloppes marron se trouvent les scènes de ces histoires intemporelles: Ōgon Bat, la fiancée du samouraï,...Il y a aussi les petites marionnettes créées par ses mains agiles. Tout à mon travail délicat, j'oublie où je suis. Cependant, j'ai l'impression que l'on m'observe. Je lève les yeux vers le paravent qui sépare le salon de ma cuisine. Il représente une femme sous l'ère Edo. Elle est magnifique dans son kimono délicat, avec ses longs cheveux noirs attachés en chignon et ses cils qui balaient son regard.... Mais non, rien de ce côté-là, évidemment! Je dois être épuisé par tous les événements de la journée et tout cela ne joue des tours. Je laisse tout en plan, le butaï ouvert et mon histoire préférée, celle de la fiancée du samouraï, installée.

Le silence tombe dans l'appartement. Les lumières sont éteintes dans l'immeuble et le calme est devenu roi.

C'est alors qu'une petite lumière apparaît, mais pas n'importe où, dans le coin gauche de la petite scène. Le décor en papier passé dans le butaï représente une scène médiévale. On peut y voir un paysage de collines, ainsi qu'un château appartenant à un grand seigneur. Le château au donjon élevé se trouve à gauche du décor; entouré de fossés, il surplombe un lac d'où part une splendide grue japonaise. Tout cela se découpe harmonieusement sur fond de soleil couchant. A une des fenêtres du haut donjon, la petite lumière scintille. Une douce et apaisante lumière. Peu à peu, elle gagne en intensité et par un phénomène extraordinaire, elle finit par éclairer tout le salon. Mais le miracle ne s'arrête pas là: les objets du salon prennent vie eux aussi. Le traditionnel manekineko baisse enfin sa jolie patte blanche. Il en profite pour bailler, se laver sa patte droite ankylosée et baille à nouveau à se décrocher la mâchoire. Il émet ensuite un petit miaulement, histoire de ne pas réveiller le propriétaire des lieux, et saute le canapé noir, face à la scène. Il s'attaque alors à une toilette en règle avant de se concentrer sur le petit théâtre. A côté de lui, une forme se matérialise : nimbée de blanc, le vieux voisin de l'étage du dessus vient de s'asseoir à côté du maneki. A sa main droite, un cigare allumé et fumant; avec sa main gauche, il caresse d'une main distraite le chat blanc. Le vieux porte autour du cou la corde avec laquelle il s'est pendu le mois dernier. Seul, sans famille, personne ne s'est occupé de lui et son âme flotte dans tout l'immeuble, s'amusant à provoquer des cauchemars chez les enfants, surtout ceux du cinquième, ceux qui passaient leur temps à se moquer de lui et de sa vieille carcasse. Côté paravent, cela bouge aussi. La belle dame a lâché son ombrelle et le Gorei du paravent est sorti de son dessin ancestral pour pouvoir, lui aussi, assister au spectacle. Voilà des mois que l'on ne s'est pas vraiment distrait dans cet appartement... Des mois ? Des années plutôt, doit penser le Gorei centenaire. Dans son sillage, on peut voir neuf queues rousses qui se profilent...Sans hésitation, le jeune renard saute du paravent où il s'était dissimulé sous la forme bien innocente d'une petite fille. Il était en effet curieux de voir le monde des hommes, mais il était resté prisonnier de l'œuvre d'art. Le kitsune vient se blottir sur les pieds du vieillard, il mordille le bout de corde qui dépasse. Mais d'un regard appuyé vers le yurei, il promet qu'il sera bien sage pendant la représentation du Kamishibaï. Maintenant que tout le monde est installé, le spectacle peut commencer...

— Il était une fois un daimyo puissant qui résidait dans un immense château avec toute sa femme et ses servants», murmure une voix.

— L'homme est père de deux filles qu'il adore et de deux garçons, qu'il élève sévèrement, mais justement. En ce soir d'automne, toute la famille assiste à un banquet avec ses invités.

En haut du donjon, la lumière magique a diminué pour retrouver sa place à la fenêtre. Devant elle passe la silhouette d'une jeune femme. À ses longues manches, on devine aisément qu'il ne s'agit pas d'une servante, mais bien d'une noble dame. Ses cheveux ramenés au-dessus de sa tête sont tenus par de luxueux peignes que l'on peut imaginer couvert de perles et de nacres. Elle se penche discrètement par la fenêtre et jette quelque chose dans les hautes herbes, près du lac. Elle se redresse et prend la fuite, éteignant la petite lumière…

« Miaou », râle le manekineko offusqué par la conclusion hâtive de la pièce. Le vieillard lui câline la tête... La voix du conteur reprend :

— Observez, spectateurs, observez, cette barque qui se dirige discrètement vers les hautes herbes. Écoutez, écoutez ce que dit celui qui a les rames. Il souffre d'une peine lourde et indicible. Sa plainte s'adresse à son aimée, celle qu'il a pu apercevoir furtivement à la lumière de la petite lanterne. Il lui pleure son amour et dit qu'il sera prêt à tout pour que son père accepte leur union... »

Le deuxième décor se met en place tout naturellement. Devant les yeux ébahis des yokais et yurei, il y a une salle de réception pleine de gens de qualité. Samouraïs et belles dames se régalent de mets divins et discutent, qui de ses combats épiques, qui des ragots de la cour.

— Mais, au fond, tout au fond, il y a une beauté qui se flétrit à force de pleurer. C'est la douce Kizumi, la fleur de son père, celle pour qui a lieu cette grande fête. Kizumi va se marier l'été prochain, avec le fils du seigneur Matsumoto. Matsumoto Kenji est bel homme, certes. Il est aussi courageux et très malin. On raconte qu'il a provoqué la fuite d'un kitsune qui dépouillait les voyageurs sur les terres de son père. On raconte qu'il porte même un bout de la queue de la bête à sa ceinture.

A ces mots, un des spectateurs émet un petit cri perçant, semblable aux pleurs d'un tout jeune enfant. Il se replie sur les pieds du vieux fantôme et cesse enfin de couiner.

— Personne ne se doutait de la douleur de la jeune enfant. Personne ne se doutait du cadeau que la belle avait faite au pauvre Aiji.

Le troisième décor prend place : toujours la salle du banquet, mais il n'y avait plus que la place du père et celle de la pauvre Kizumi.

— Non, ma fille, rugit son père. Non ! Tu ne peux pas avoir donné ta parole à un jeune rônin. Tu ne peux pas avoir fait cela !

L'image paternelle se déplace autour de sa fille, il devient de plus en plus grand... Il pourrait presque la dévorer tellement sa rage est puissante et a pris possession de lui.

— Aiji n'est pas un rônin, c'est un de vos hommes. Il vous a servi pendant tant d'années !

— Que sais-tu de la fidélité, ma fille, toi qui ose me trahir et trahir ma parole ? Tu es amoureuse d'un homme dont tu ignores tout ! Il m'a trahi, il a failli causer notre perte !

Le père saisit alors sa fille préférée par les cheveux et lui frappe la tête. La jeune Kizumi tombe contre le mur et se blesse. Son sang imprègne un de ses peignes nacrés. Choquée, elle se réfugie dans un coin alors que son père se jette à ses genoux, pleurant et implorant son pardon.

Le quatrième décor inséré dans le butaï est le paysage autour du lac. Le regard des spectateurs plonge dans les hautes herbes et écoute la voix qui continue de raconter sa romance d'une tristesse infinie. Une ombre surgit et se dirige vers le lac.

— Aiji, Aiji, appelle la voix de femme.

Une voix sort du lac et murmure :

— Je suis là, mon amour ! Je suis là!.

Kizumi s'approche avec précaution de l'eau et Aiji apparaît le long de la rive. De sa main virile, il touche les cheveux de son aimée et, stupéfait, saisit son peigne rougi.

— Qui t'a fait cela ? Comment a-t-on pu te brutaliser de la sorte ?

Kizumi rougit et baisse la tête. Elle prend une profonde inspiration et répond:

— Personne que tu ne puisses atteindre par tes actions ou ta volonté.

A ses mots, Aiji pleure et hurle de douleur:

— Cet homme que tu appelles ton père ne mérite ni ton amour, ni ton respect !

— Comment oses-tu dire cela, toi qui l'a côtoyé ? Qu'il a formé?

Kizumi fait mine de partir, mais Aiji la rattrape.

— Pourquoi t'ai-je demandé de voler cette perle ? T''aies tu jamais posé la question de savoir pourquoi ton père conserve cette perle dans son coffret, près de son lit ?

Kizumi semble secouer la tête, intriguée. «

— Laisse- moi deux jours pour te montrer l'ignominie de ton père. Ensuite, tu pourras m'abandonner ou me rejoindre ! Deux couchers de soleil et tu auras la vérité !

Le cinquième plan est un retour au point de départ. Les spectateurs irréels et fascinés ne quittent pas le butaï des yeux. L'amour interdit de Aiji et de Kizumi les touche au plus profond de leur inhumanité. Seul le chat blanc a cédé à la pression du sommeil, comme tout bon chat qui se respecte. Le vieil homme se sert de son linceul pour se moucher bruyamment, la dame d'Edo utilise sa manche pour se cacher les yeux. Le kitsune, quant à lui, attend tranquillement la suite du petit théâtre. Il remue la, ou plutôt les queues, pour montrer son impatience et sa joie. La voix reprend :

— Le vaillant Aiji est un homme de parole. Il a passé une journée à réfléchir aux moyens de convaincre sa douce amie. Comment ne pas l'effrayer avec la cruelle vérité ? Une idée lui est venue pendant sa journée de réflexion. Aiji se prépare à traverser le pont-levis quand il croise le beau Kenji. Aiji sort son sabre, mais Kenji l'arrête avec ces paroles:

— Mon ami, je n'ignore pas qui tu es. La belle Kizumi n'a pas un cœur assez large pour deux, mais elle a un cœur assez pur pour n'aimer qu'un homme. Crois-tu vraiment qu'elle peut trahir sa parole de la sorte ?

Aiji le valeureux lui répond :

— Tu es Matsumoto Kenji, fils du bienveillant Matsumoto Shin. Es-tu le fils d'un homme brave et juste ou bien un homme prêt à faire le malheur d'une épouse à qui on impose cette union?

Le combat qui oppose les deux hommes est rapide et le résultat sans doute : porté par son pur amour pour Kizumi, Aiji gagne son combat contre Kenji, mû par des désirs impurs et un orgueil démesuré. Mais chers spectateurs de l'autre monde, vous allez avoir le dénouement tant désiré de cette triste histoire.

Le dernier décor apparaît enfin : la salle du banquet est vide. Aiji est dissimulé dans le coin droit du butaï. Le grand seigneur est là, il rumine ses pensées. Il a envoyé ses hommes chercher la magnifique perle à laquelle il tient plus qu'à sa propre vie. Il n'a plus vu sa fille depuis leur effroyable dispute. La belle Kizumi s'est enfermée dans sa chambre. Il doit tenir parole par rapport à ses engagements vis- à - vis de la famille du beau Kenji. Aiji surgit et l'interpelle :

— Seigneur Hideo, me reconnais-tu ? Reconnais-tu celui dont tu as voulu faire un parricide ? Reconnais-tu celui à qui tu avais promis ta fille en échange d'une perle promesse d'une longue vie et d'une richesse infinie ?

Le daimyo lui répond agressivement :

— De quel droit es-tu chez moi, traître ? Tu courtises la chair de ma chair, mais tu n'es même pas digne de frotter les gamelles de mes shibas !

Aiji s'approche du seigneur. On peut imaginer un regard perçant, glacial. Tout à coup, une troisième ombre apparaît dans ce décor. On distingue la coiffure de la belle Kizumi, son kimono frotte sur le sol. Mais personne ne semble l'entendre. Tel un fantôme, elle assiste au combat des deux hommes qui occupent sa vie, celui qui l'a élevée et celui qu'elle veut épouser.

— Tu te dis 'fils du dragon', mais tu n'es rien , grogne le daimyo, Rien d'autre qu'un rônin !

— Comment oses-tu, seigneur Hideo ? J'ai volé pour toi la perle de mon père, je te l'ai amenée ici dans ton château. Tu devais m'offrir ta fille, la belle Kizumi. Je suis bien le fils du seigneur Ryu, quoique que tu en doutes !

Le seigneur Hideo commence à dégainer son sabre et il s'apprête à bondir sur Aiji.

— Fils du dragon ou pas, tu as séduit ma fille alors que je la destinais à un autre. Tu n'as pas tué le maître du palais comme je te l'avais ordonné.

Dans le décor, les deux silhouettes noires évoluent gracieusement, comme la danse mortelle d'un serpent et d'un oiseau. Le conteur reprend son histoire de sa voix envoûtante :

— Aiji décide alors que l'orgueilleux seigneur Hideo mérite de connaître la vérité. Sa voix devient un grognement de gorge et soudain, il s'entoure d'une ligne de feu. Saisi, le seigneur Hideo recule. «Alors, seigneur Hideo ? Me crois-tu enfin ? Pourquoi me pousser ainsi ? Es-tu si imprudent et présomptueux que tu ne crois pas la parole de celui qui t'a ramené la perle du palais du dragon? Tu es si fou que tu romps ta promesse avec moi... Tu prétends que j'ai ensorcelé ta fille, mais tu es tellement aveuglé par ton pouvoir que tu ne reconnais pas le réel amour lorsque tu le vois. »

Aiji est désormais en feu. Il est bien le fils d'un dragon issu du corps d'une mortelle et de la larme d'un dragon. Fou d'orgueil, Hideo le présomptueux se rue vers le fils du dragon avec le sabre au clair : « Ma fille n'épousera jamais un monstre comme toi, dussé-je la tuer de mes propres mains! » A ces mots, la belle Kizumi se jette entre les deux hommes. Le premier est celui qu'elle a toujours porté dans son cœur, mais dont elle vient de voir la noirceur d'âme, le second est un être qui n'est plus celui qu'elle connaît, mais qu'elle aime de toute son âme, celui pour qui elle a volé la perle de son père ! Mais alors que son seul désir est de faire cesser le combat, Kizumi meurt du tranchant du sabre de son père. La belle Kizumi expire dans les bras de son ami et vrai amour. Ivre de rage et de désespoir, Aiji se jette sur le seigneur Hideo et lui passe son propre sabre à travers le corps. Puis, pleurant la perte de celle qui lui était promise, mais qu'on a essayé de lui dérober, Aiji le malheureux prend le corps encore chaud et délicat de Kizumi et saute dans le lac depuis le donjon. Voilà, cher ami, ce qu'il advint de la malheureuse fiancée du samouraï. La légende raconte que, tous les soirs de pleine lune, les fantômes des deux amoureux reviennent dans les ruines du vieux château pour vivre leur amour hors de l'eau où ils demeurent. » L'histoire de la fiancée du samouraï prend fin dans un silence absolu. Les spectateurs surnaturels sont sous le charme de la voix du Conteur, qui est revenu, une dernière fois, partager ses histoires magiques.

J'avoue que ma nuit fut courte, très courte, bouleversée par des rêves et des cauchemars. Me voilà debout au milieu de la nuit. J'ai passé mes quelques heures de sommeil à entendre des voix, dont celle de Kosuke le Conteur. J'ai entendu des bâillements, des miaulements, et même une sorte de reniflement canin. Une nuit à oublier au plus vite ! Je me dirige tranquillement vers ma cuisine afin d'y prendre le café qui me permettra de supporter ma journée de travail. Mais avant de partir, je m'assois sur le canapé proche du kotatsu et fixe le théâtre en papier. Quelque chose a changé, un je-ne-sais-quoi qui s'est modifié, mais je n'arrive pas à mettre le doigt dessus. J'ai pris l'habitude de contempler le paravent avant de partir au travail. Il me semble avoir vu une larme couler sur la joue de la Beauté d'Edo, comme je l'appelle souvent. Je dois me frotter les yeux pour vérifier que je n'ai pas rêvé. Mais lorsque je relève la tête vers le paravent, plus rien. Rien n'a changé, tout est comme d'habitude. Je décide quand même de me lever pour jeter un coup d'œil de plus près. Toujours rien ! En retournant vers mon canapé pour finir mon café, mon œil est à nouveau attiré par quelque chose d'anormal : que font ces poils blancs et roux sur mon canapé ? Je me rassois quand même, au risque de parsemer mon pantalon de costume avec ces poils incongrus et fixe le butaï.

Perdu dans mes pensées, je me demande si Kosuke le Conteur n'avait pas raison de dire qu'il faut apprendre à vivre avec l'inexplicable avant d'en faire partie.

MPH Univers Nouvelles :

Issue du folklore germanique, la fête de Noël avec ses verts sapins, ses chants qui se sécularisent, son Père Noël, se diffuse à travers l'Europe, puis au – delà , dès la fin du XVIème siècle.

Dans son *Chant de Noël*, C. Dickens avait changé la vie d'un homme grâce à l'esprit de Noël. Et si cela était encore possible aujourd'hui, dans notre monde de raison et   trop souvent plein d'amertume ?

NOËL À NORTHSHIELD.

Le petit village de Northshield connut un véritable miracle de Noël en ce début de vingt-et-unième siècle. Pour en comprendre l'importance, il faut revenir quelques générations en arrière.

La famille des Crampton vivait près du village de Nothshield depuis des siècles. À l'origine, ces propriétaires terriens avaient fait bâtir un immense manoir, dans lequel elle passait la période de l'été ainsi que les fêtes de Noël, bien loin de la folie londonienne. C'était à cette période que toutes les branches de la famille se réunissaient dans cette majestueuse demeure perdue au milieu de la neige et sans voisins à des kilomètres à la ronde. On jouait aux cartes ou aux échecs, on lisait des contes ou les œuvres de Charles Dickens, on se racontait des histoires pour rire ou se faire peur. Il ne fallait pas non plus oublier les repas interminables qui ponctuaient les séjours des uns et des autres, les chamailleries entre cousins. Pour aller à la messe de Noël qui avait lieu au village, toute la famille s'enroulait dans des couvertures ou des fourrures et les traîneaux glissaient tranquillement jusqu'à Northshield. Cette visite était très attendue par les habitants, car elle s'accompagnait d'une distribution de nourriture pour tous, des vêtements et de jouets pour les enfants. Tout était donc parfait lors des Noëls des Crampton.

Mais l'ambiance changea avec Matthew Crampton, dans les premières décennies du vingtième siècle. Dès que celui-ci prit la tête de la famille Crampton, la magie de ces réunions disparut peu à peu. Il cessa de se rendre dans le domaine familial lors de la période estivale, préférant continuer à faire des affaires à Londres ou à voyager à travers le monde et l'Europe pour se distraire. Il louait alors l'immense manoir à des inconnus bruyants et sans gêne, qui perturbaient non seulement la vie des villageois, mais aussi celle de la faune locale, dérangée par les fêtes permanentes ou les parties de chasse. Noël avait pendant un temps échappé à ce relâchement des traditions. Mais il n'était plus vraiment question de visites au moment des messes, de même que l'on se déplaçait avec son propre personnel et que l'on n'employait plus de gens du village. Les Crampton n'étaient plus les protecteurs du village, à peine en étaient-ils des visiteurs occasionnels. La demeure elle-même perdit de son âme lorsque Matthew Crampton fit construire une grande tour assortie d'une grande verrière sur l'aile est de la maison familiale. Cette horreur défigurait totalement le paysage et faisait ressembler la bâtisse au laboratoire d'un savant fou.

À la naissance de Matthew Crampton Junior, l'espoir naquit à nouveau, car les Crampton revinrent un peu plus au manoir. L'enfant était magnifique, un teint de porcelaine illuminé par deux grands yeux bleu lagon. Ses cheveux bruns ressemblaient à ceux de sa mère, la délicate Pénélope Crampton. De celle-ci lui venaient aussi patience, intelligence, diplomatie et empathie. Junior aimait se promener dans la campagne avec sa mère ; il adorait aussi l'accompagner au village lors des rares visites de sa famille à Northshield. Il y apparaissait comme un petit garçon poli et curieux de tout, qui ne cessait de poser des questions et manifestait de l'intérêt pour tout et tout le monde. Les villageois avaient honte de le penser, mais ils attendaient impatiemment que Matthew Crampton Senior décède pour retrouver les liens que leurs ancêtres avaient établis avec la famille Crampton. Hélas, mille fois hélas, si les choses en avaient été ainsi, mon récit pourrait prendre fin tout de suite. En effet, le sort toucha la famille de plein fouet. Alors que les Crampton avaient exceptionnellement assisté à la messe de minuit au village, Pénélope Crampton contracta une lourde pneumonie. Sans doute cette maladie était déjà installée chez la fragile épouse bien avant cette messe. Mais Matthew Crampton Senior décréta que c'était cette sortie dans les froids rigoureux de l'hiver et cette soirée passée dans l'église des courants d'air qui avaient causé la perte de sa compagne. Dans l'impossibilité de rentrer à Londres pour faire soigner sa femme, Matthew Crampton Senior exigea un miracle de la part du médecin local. Malgré tous les efforts de ce dernier, rien n'y fit et Pénélope Crampton mourut à la veille du Nouvel An 1939. Immédiatement après le décès de sa mère, Matthew Crampton Junior fut envoyé, à l'âge de dix ans, en internat. Il ne revenait chez lui que quelques semaines par an, assez pour que son père ait l'impression d'être un père convenable, mais pas suffisamment pour vraiment soigner le sentiment d'abandon que ressentait son fils. C'est donc ainsi que le jeune Matthew Crampton grandit sans l'amour de sa mère morte, sans celui de son père absent, et en ayant perdu l'esprit de Noël.

En ce début de vingt-et-unième siècle, Matthew Crampton Junior était donc un vieil homme aigri et blessé. Même s'il avait rétabli les fêtes familiales au manoir de Noël en l'honneur de sa mère et pour faire plaisir à son épouse aujourd'hui décédée, Matthew Crampton Junior ne croyait absolument pas à l'esprit de Noël. Depuis ses dix ans, il avait perdu toute foi en cette période. Il ne croyait pas non plus aux valeurs familiales. C'était uniquement grâce à son épouse, la pétillante Anna, qu'il avait continué à accueillir sa famille. Il avait trouvé le moyen de se débarrasser des cousins les plus éloignés, mais il avait toléré pendant toutes ces années ses oncles et tantes, ses cousins germains, ses neveux et nièces, ainsi que logiquement, ses enfants et petits- enfants. Grâce aux demandes de sa femme, il avait aussi repris la tradition des messes de minuit et des dons pour les villageois. La mort de sa femme avait entraîné une rupture dans son esprit et il détestait encore plus ces réunions familiales.

Du haut de l'escalier monumental du manoir, Matthew Crampton Junior ne pouvait s'empêcher de soupirer. Il se l'était promis : ce serait la dernière fois qu'il accueillait ces gens-là sous son toit. Il avait passé les quatre- vingt ans et estimait que ces enfantillages pénibles et ennuyants ne lui apportaient plus rien. Sa haine de Noël s'accompagnait d'une haine profonde de sa famille.

Quand on observait attentivement la famille Crampton, on pouvait comprendre les sentiments du vieil homme pour ces fêtes de fin d'année. Sa fille aînée patientait dans le hall d'entrée, pile sous les branches de gui suspendues depuis le haut plafond. Sylvia était blonde comme sa mère, mais c'était le seul point commun qu'elles avaient. Elle hurlait plus qu'elle ne parlait, surtout quand elle s'adressait à son époux, le fringant Jonathan Harper. Tous deux étaient les parents d'un fils unique, Gregory. Gregory était un grand chirurgien londonien. Plus malin que son grand-père, il avait su et pu déjouer les pièges des fêtes de fin d'année en passant cette période d'astreinte. Ses deux enfants, Louise et Peter, étaient présents malgré tout au manoir. Âgés respectivement de huit et douze ans, ils étaient les descendants les plus jeunes de la famille Crampton. Matthew Crampton Junior sentait toujours un pincement au cœur quand il les voyait, car ils possédaient tous les deux le menton marqué et le nez aquilin de son propre grand-père. Malgré tout, il les trouvait bruyants, trop curieux et indisciplinés. Les voir s'ennuyer à côté de leurs valises déposées dans le hall le fit sourire d'aise. S'ils s'ennuyaient suffisamment, sans doute feraient-ils un caprice à leurs grands-parents et quitteraient-ils rapidement le manoir de Matthew Crampton Junior. Il lui faudrait aussi se débarrasser de son fils, Jimmy Crampton. Celui-ci était un homme avide, il ne pensait qu'à l'argent et aux bénéfices qu'il pouvait engendrer. Il était obnubilé par l'héritage de son père. Il se voyait maître du manoir et des terres qui y étaient liées, il voulait gérer les actions que possédait son père. Jimmy Crampton flattait son père ostensiblement, tout en espérant une mort rapide de celui-ci. Il était arrivé la veille, avait pris la plus belle chambre d'invités et avait fait déplacer tous ses bagages à travers le manoir pour un pauvre Hubert, serviteur qui semblait faire partie des meubles. Dans un coin du grand hall, partiellement dissimulé derrière les plantes vertes, se trouvait le dernier invité de ces fêtes de fin d'année : son demi- frère Harry, né du second mariage de Matthew Crampton Senior. Encore vif pour son âge, le bel homme aux cheveux gris était certainement la personne que Matthew Crampton Junior détestait le plus. Pendant qu'il passait son adolescence en internat, son demi-frère était resté auprès de sa famille. Arrivé à l'âge adulte, il avait su faire fi des injonctions de la famille Crampton et avait parcouru le monde entier. Il s'en était toujours bien sorti, passant à travers les mailles de tous les filets. Ce soir, tout ce petit monde serait réuni autour du premier repas de Noël et cela durerait trois jours.

Un sapin de Noël gigantesque trônait dans un coin près de la salle à manger principale. Les arrières-petits- enfants de Matthew Crampton Junior avaient installé les décorations descendues du grenier. « Au moins, pendant ce temps-là, ils ne fouilleront nulle part », avait pensé le vieillard. Autour de la table, les conversations allaient bon train. Les enfants, envoyés au fond de celle-ci, mangeaient la dinde en s'agitant, parsemant le sol de petits pois. Peter expédiait des boulettes de pain sur sa sœur qui hurlait à chaque fois qu'il atteignait sa cible. Jimmy donnait des conseils d'investissements à son beau-frère et à Harry. Sylvia ne cessait d'abreuver son père de nouvelles de la famille dont celui-ci n'avait que faire. Après le dessert, Matthew Crampton Junior prit solennellement la parole :

— Mes enfants, me voilà désormais bien vieux ! (« Oh, mais non Papa », le contredit Jimmy en tapotant la main de son père) Je n'ai plus ni le goût ni l'énergie d'organiser les fêtes de fin d'année. D'ailleurs, vous savez très bien que j'ai maintenu cette tradition en l'honneur de ma chère Anna. Noël est une fête tapageuse qui m'indiffère au plus haut point (à ces mots, ses arrière-petits-enfants portèrent leur main à la bouche, ouvrant des yeux horrifiés). Ce sera donc la dernière fois que vous vous réunirez ici...

— Mais Papa... s'émut Sylvia. Comment allons- nous faire pour nous retrouver en famille autour de toi ? C'est si important en cette période de l'année...

— Ma chérie, lui répondit ironiquement le chef de famille, je sais très bien ce que tu penses d'eux. Tu n'as cessé de dire des méchancetés sur ton oncle Harry, qui essaie de calmer tes petits-enfants, sur tes cousins et cousines, sur ton propre époux... Ce genre de conversations ne me manquera pas.

Jimmy prit le relais :

— Tu ne peux pas faire ça, pas avec les petits !!! (à l'autre bout de la table, Louise et Peter dodelinaient de la tête) Ils sont si jeunes, ils ont besoin de leur arrière-grand-père.

À ces mots, Matthew Crampton Junior pouffa de rire. Il tapota à son tour la main de son fils :

— Tu parles de ces deux garnements qui courent partout ? Ils ne sont ici que parce que leur père a eu l'intelligence de trouver une combine pour éviter ces réunions. Ils attendent juste les cadeaux et l'argent avec lesquels ils repartent chaque année. Je suis persuadé qu'ils ne viendraient pas s'il n'y avait rien à tirer de ces fêtes...

Les yeux de Louise étaient remplis de larmes ; Peter gardait la tête baissée, le menton tremblant sous les efforts pour ne pas pleurer. Jonathan se dressa alors et s'avança vers son beau-père :

— Vous me faites pitié, Matthew Crampton Junior. Que vous détestiez Noël, soit ! Que vous détestiez même vos propres enfants, c'est vos affaires. Mais laissez vos arrière-petits-enfants, mes petits-enfants en dehors de tout cela. Ce sont des affaires d'adultes...

Le maître de maison se leva à son tour, blafard. Il suffoquait face à cette attaque de celui qu'il avait toujours considéré comme trop faible :

— Pour qui vous prenez- vous ? Vous n'êtes ici que parce que j'ai accepté que vous épousiez Sylvia. Vous n'êtes rien pour moi, rien ! J'exige que vous quittiez cette maison !

Et d'accentuer ses propos en frappant du poing sur la table. Jonathan Harper n'avait pas l'intention de céder et alors qu'il parlait à nouveau, Matthew Crampton Junior se rassit dans sa chaise, portant sa main à son cœur. Il ferma les yeux et son souffle s'arrêta.

— Malaise cardiaque, mais rien de grave... Monsieur Matthew Crampton ne vous avait pas prévenu qu'il souffrait d'insuffisance cardiaque et qu'il devait prendre un traitement régulier ?

— Absolument pas, répondit Sylvia. Nous ignorions totalement qu'il était malade. Notre père est... Comment dire ? Très pudique lorsqu'il doit parler de sa santé.

— Mon frère, mon demi- frère plutôt, déteste l'idée de paraître faible, rajouta Harry. On pourrait presque croire qu'il ne ressent rien... En tout cas, merci Docteur d'être intervenu aussi vite ! »

Le docteur Prentis se contenta de hocher la tête. Grâce au radoucissement des températures et aux progrès technologiques, il avait pu rejoindre le manoir à bord de son 4x4 en quelques instants. Dans la grande demeure, le parfait Hubert avait déjà réagi et avait donné les médicaments nécessaires à son maître.

— Il va avoir besoin de beaucoup de repos. Nous devons considérer cela comme une alerte, même si nous ne devons pas nous inquiéter outre-mesure. Je repasserai le voir demain. En attendant, il lui faut du calme et vous évitez les discussions qui pourraient le stresser... D'ailleurs, le mieux est de le laisser tranquille jusqu'à demain matin. Hubert viendra contrôler régulièrement ce qu'il se passe et tout ira bien.

Toute la famille passa donc le reste de la soirée dans la bibliothèque à se raconter les souvenirs des Noëls du passé, à échanger, mais on restait dans un silence respectueux. Les enfants avaient été envoyés au lit immédiatement après le repas. Cependant, les jeunes Louise et Peter en avaient décidé autrement. Ayant sagement embrassé grands- parents, oncle et grand-oncle, ils avaient vaillamment pris la direction de leurs chambres avant d'amorcer un virage discret vers celle de leur arrière-grand-père. En cette période de Noël, ils voulaient questionner le vieux monsieur.

Matthew Crampton Junior était allongé dans son lit, les bras étendus le long de son corps. Il avait les yeux clos et respirait délicatement. Il avait décidé que ce soir serait son dernier soir. Il se laisserait glisser pendant la nuit. L'alerte au cours du repas avait été révélatrice pour lui : il partirait dans son sommeil.

La porte de sa chambre s'ouvrit avec précaution et deux petites têtes émergèrent. Sur la pointe des pieds, vêtus de leurs pyjamas, Louise et Peter s'approchèrent de l'imposante couche. Les couvertures qui protégeaient leur aïeul bougeaient à peine. Les deux enfants fixaient le vieil homme.

— Vous regardez quoi, tous les deux ?

La sœur et son frère sursautèrent. Peter saisit la main de sa sœur et s'y accrocha à lui faire mal. Prenant son courage à deux mains, Louise prit la parole :

— Nous sommes juste venus te dire bonne nuit...

— Vous mentez, et mal en plus ! grogna le vieux bonhomme.

— En fait, on veut te parler, murmura Peter. Il poussait Louise vers le cadre du grand lit.

— Oui, on veut te parler... On veut savoir pourquoi tu n'aimes pas Noël ?

— Et pourquoi tu nous détestes ? rajouta Peter.

Matthew Crampton Junior se redressa sur les coudes.

— Pourquoi pensez-vous que je vous déteste ?

— Tu ne veux plus fêter Noël avec nous, et ça ce n'est pas normal... rugit Peter.

Louise l'arrêta d'une tape sur la tête pour le faire taire. Elle prit une nouvelle fois son élan et se tenant bien droite, elle regarda son arrière-grand-père dans les yeux pour lui parler froidement :

— Que tu n'aimes pas Noël, ça arrive à beaucoup d'adultes, tu sais. Mais nous, on ne t'a rien fait. Tu n'as pas le droit de nous rejeter ainsi... On n'est pas parfaits, on le sait bien. Mais quand on est ici, on essaye de se tenir le mieux possible pour ne pas te fatiguer... Et toi, toi...

Le maître de maison s'amusait franchement de cette situation. Son arrière-petite-fille qui lui tenait tête, voilà qui était original ! Et son petit frère, caché derrière elle, mais qu'il sentait prêt à bondir pour la protéger...

— Tu as dit que l'on ne venait que pour les cadeaux... C'est faux. Nous, on t'aimerait même si tu ne nous donnais pas de présents ni d'argent... Tout ça, on s'en moque !

— C'est vrai ? Matthew Crampton Junior se rallongea et entreprit de bien se caler sur ses oreillers... Alors vous seriez prêt à ne rien recevoir cette année ? Bien, bien... Si je vous raconte une histoire, juste une histoire, vous repartiriez les mains vides ?

— Oui, crièrent à l'unisson les deux enfants. Mais à une condition, on veut l'histoire de ton plus beau Noël. Il y a bien eu un moment où tu as aimé Noël, quand même ?

— L'histoire de mon plus beau Noël ? D'accord. Mais ne restez pas debout comme deux guignols... Débrouillez-vous pour vous caler dans le fauteuil à côté. Ah et prenez une couverture, sinon vous allez tomber malades et vous allez devoir rester plus longtemps ici...

Les deux enfants s'empressèrent d'attraper un des édredons pliés sur le bout de lit et mus par une même volonté et la plus grande des curiosités, ils s'installèrent l'un contre l'autre dans le fauteuil Club de cuir noir. Louise jeta la protection sur eux. Ils étaient désormais prêts à écouter le récit de leur arrière-grand-père.

— J'avais six ans lorsque je vécus mon plus beau Noël. Je ne pourrais jamais l'oublier. Ma mère adorait ce manoir. Elle prétendait que chaque pierre de cet endroit contenait l'âme centenaire des Crampton. Elle m'avait fait passer son amour pour ce lieu, même s'il était marqué de façon indéniable par la présence de mon père. Ce soir- là, ma mère et moi avions choisi d'arriver plus tôt au manoir, afin d'en profiter le plus possible. Quelques cousins avaient aussi réussi à être en avança sur place. Afin que nous ne gênions pas les adultes, l'aile ouest de la maison nous était réservée. On y restait avec nos nourrices et précepteurs. Nous courions dans tous les sens, jouions à cache- cache, voire à colin-maillard dans notre salle commune. Mais les instants les plus merveilleux étaient ceux que je passais avec ma mère. Elle venait régulièrement nous voir et sous un prétexte ou sous un autre, repartait avec moi. Nos escapades au village se faisaient dans la bonne humeur et le fait qu'elles soient secrètes les rendaient encore plus intenses. Mais ce n'était pas là le meilleur moment de ce Noël.

Le réveillon avait été exceptionnel pour moi, sans doute parce que mon propre père n'était pas là. Il n'avait pas pu se libérer de ses obligations. Mais je suis sûr plutôt que dès le départ, il ne souhaitait absolument pas venir fêter Noël avec nous. Je suis persuadé que ma mère pensait exactement les mêmes choses, comme le cadeau qu'elle m'offrit me le confirma rapidement.

Comme c'était ma mère qui dirigeait l'organisation des festivités en l'absence de mon père, les enfants avaient eu le droit de manger dans la grande salle, avec les adultes. Certes, nous déjeunions et soupions à une table à part, mais nous n'étions plus relégués dans une aile de la maison. Nous avions entendu une chorale d'enfants du village venue chanter devant l'entrée principale, nous avions joué aux devinettes avec les adultes... Alors que minuit approchait, les plus grands d'entre nous et les adultes étaient partis à la messe pendant que les plus jeunes, moi inclus, restions à la maison. Ma mère souffrant d'un mal de tête était restée.

La connaissant, j'aurais dû savoir qu'il y avait une astuce. J'étais à peine dans mon lit qu'on toqua discrètement à la porte. Quelle surprise ce fut lorsque je vis ma mère à genoux devant celle-ci ! Elle était en train de ramasser quelque chose. En hâte, elle finit de tout rassembler et, mettant son doigt sur la bouche pour m'intimer le silence, elle entra et referma derrière elle. Elle me conduisit jusqu'à mon lit et s'installa dessus. Elle sortit de derrière son dos le magnifique échiquier que j'avais admiré longuement en allant nous promener au village. Ce jeu était exposé dans la vitrine de l'antiquaire local et j'étais resté bouche bée devant un objet tellement délicat et harmonieux. J'ignorai – et j'ignore encore- comment elle s'y est pris pour acquérir cet objet rêvé. Mais rien ne pouvait me faire plus plaisir. Nous entamâmes immédiatement une partie d'échecs, suivie d'une autre, puis encore d'une autre... Bref, je passai des heures à jouer avec ma mère et m'écroulai de sommeil.

Le jour de Noël, j'eus à nouveau une surprise des plus incroyables. Malgré tous mes amusements, ma mère avait remarqué que je me languissais de notre vieux chien de chasse, resté à Londres. J'avais été élevé avec cet animal et je sentais que mon départ vers Northshield allait de pair avec la mort de mon compagnon. Je découvris donc en lieu et place de mes pantoufles devant la cheminée, un petit chiot, un Setter pour être plus précis... Jusqu'à mon départ pour l'internat, nous ne pouvions être séparés. Puis, je ne le voyais plus qu'à l'occasion de mes retours lors des vacances d'été au manoir.

Voilà... Vous avez eu votre histoire. Vous n'avez donc plus besoin de vos cadeaux et de votre argent pour ce Noël !

Matthew Crampton Junior n'eut aucune réponse. Sans doute, pensa-t-il, que les deux enfants avaient quitté la pièce sans qu'il s'en soit aperçu, car il était plongé dans ses souvenirs. Il parvint à se redresser et constata avec surprise que les deux enfants s'étaient endormis, serrés l'un contre l'autre. Il soupira et pensa que les têtes blondes s'étaient ennuyées au cours de son histoire. Néanmoins, il regarda une deuxième fois le duo immobile et vit un sourire sur les deux visages. Ces sourires semblaient illuminer la pièce et la réchauffaient, bien plus que ne le faisait la grande cheminée où dansaient les flammes. Ses deux petits sourires commencèrent à faire fondre la glace du cœur de Mickaël Crampton Junior. Comme si une minuscule bougie s'était allumée quelque part, au fin fond de son âme. La sensation n'était pas désagréable, constata-t-il, mais il ne fallait pas se laisser attendrir par ces deux loustics. Sa décision était prise : demain, il ne serait plus. Il cessa donc de les regarder et fixa à nouveau un point imaginaire au plafond. Il fut hypnotisé par un nœud dans les lambris et finit par fermer les yeux.

— Alors te voilà enfin, vieux grognon ! Je t'attends depuis tellement longtemps.

— Anna, ma douce Anna ! Est- ce bien toi ?

Perdu dans le brouillard de son état comateux, Mickaël Crampton Junior n'y croyait pas. Son épouse disparue depuis des années lui était enfin revenue.

— Qui aurait patienté aussi longtemps, espèce d'idiot ? Je dois rester une des rares personnes à avoir su t'aimer malgré ton fichu caractère !

— De quoi me parles -tu ? Je n'étais pas comme ça avant... Avant ta mort !

— Oh, tu étais déjà bien amer et aigri ! Je me souviens des repas entre amis où tu faisais une telle tête qu'on me demandait discrètement si tu avais subi un décès, si tu étais malade. Combien j'ai pu être gênée dans ces moments !!! J'aurais même aimé disparaître dans un trou de souris le jour où on est venu m'interroger pour savoir depuis quand nous étions séparés... Tu ne respirais pas vraiment la joie de vivre à l'époque. Mais là, c'est le pompon...

— Qu'est- ce qui est le pompon ? De quoi parles-tu ?

— Ton attitude vis-à-vis de tes arrière-petits-enfants me choque, mon cher. Depuis quand ces pauvres petits doivent-ils être des victimes de ton aversion pour Noël ? Depuis quand des enfants doivent-ils payer pour ton égoïsme, pour ta haine vis- à -vis de ta famille ? Regarde ces deux anges...

Mickaël Crampton Junior soupira dans son sommeil. Un soupir profond, comme lorsque l'on exhale son dernier souffle de vie.

— « Des anges » ? Tu ne les as pas vus courir à travers le grand salon, ouvrir les portes avec fracas, hurler pour se parler... Ils sont épuisants, ce sont de sales gosses mal élevés...

— Et donc selon toi, ces « sales gosses », qui sont juste pleins de vie, mériteraient d'être exclus de ton quotidien, de perdre leur aïeul parce que toi, Mickaël Crampton Junior, chef de la grande famille des Crampton et tête de mule de première catégorie, a décidé de se couper du monde pour vivre, et surtout mourir, comme un vieil imbécile aigri détesté par tous...

— Je t'interdis de me parler ainsi...

— Qui es- tu pour m'interdire quoi que ce soit ??? Tu crois pouvoir exerce une quelconque influence sur moi ? Tu n'es qu'un vieillard qui va devenir sénile s'il continue à s'isoler et à rejeter les autres... Ce manoir finira par être ton tombeau et tu vas t'y enterrer vivant ! Contrairement à ta mère, tu n'aimes pas cette demeure, tu en es prisonnier...

— Ne parle pas de ma mère !

— Tu me l'interdis aussi ?

Tout à coup, la voix qui s'exprimait dans le vide prit consistance. Une belle femme aux longs cheveux détachés flottant dans son sillage apparut au- dessus du lit. Mickaël Crampton sentit les larmes lui monter aux yeux en voyant l'esprit de sa femme, celle qu'il avait tant chérie et qu'il regrettait tous les jours. Un léger sourire passa sur la figure du fantôme. Il approcha sa main du visage de Mickaël Crampton Junior et le lui caressa (si tant est qu'un fantôme puisse toucher une face humaine).

— Tu n'as pas compris qu'il n'est plus temps d'interdire, mais de réfléchir et d'aimer ?

— Aimer qui et pourquoi ?, lui répondit le vieillard. Depuis que tu n'es plus là, personne ne m'importe.

— Et tes enfants ? Et ton petit-fils qui sauve des vies au quotidien ? Et tes arrière-petits-enfants ?

Le vieil homme balaya cette idée d'un geste dédaigneux de la main.

— Toute cette sale engeance ne mérite que mon mépris. Sans mon argent, je serais un vieillard isolé et perdu tout seul au fond de ce manoir !

Rempli de fureur, tout le spectre d'Anna Crampton se déforma. Les yeux lui sortirent des orbites ; ses cheveux s'éparpillèrent, secoués par le vent tempétueux ; sa mâchoire s'ouvrit pour pousser un hurlement de rage. Le fantôme se mit à parcourir la pièce, balayant livres et lampes sur son passage. Un froid issu des limbes s'installa dans la chambre. Mickaël Crampton Junior n'eut d'autre choix que de glisser ses bras sous les couvertures pour résister à des températures glaciales qui menaçaient de le congeler sur place. Soudain, la morte se posa à nouveau au-dessus du vieil homme alité.

— Comment oses-tu qualifier nos descendants de « sale engeance » ? N'as-tu pas honte ? Ces personnes sont autant tes descendants que les miens. En les insultant, tu m'insultes par là- même, Mickaël Junior ! Ton manque d'empathie, d'amour me rend malade. Je ne peux croire que je t'attends depuis autant d'années alors que ton cœur est fait de glace. Tu dois être un vrai reptile avec le sang froid qui coule dans tes veines !

La sueur perla sur le front du vieil homme. Jamais il n'aurait cru possible de voir une telle fureur chez un être, vivant ou non. Son cœur battait la chamade et risquait de transpercer sa poitrine. Il porta les mains à son buste, menaçant d'être terrassé par la peur. Une main glaciale, néanmoins douce, souleva les cheveux de son ancien conjoint.

— Laisse- moi te montrer ce qu'ils pensent tous vraiment, sans fard et sans mensonge ! Te sens-tu prêt à découvrir que tu te trompes peut- être ?

— Tu sais très bien que je juge toujours les gens à bon escient, répondit son époux, d'un ton qui se voulait arrogant alors qu'il gisait entre la vie et la mort.

— Si ce que tu découvres ne te convient pas, tu n'auras qu'à te laisser glisser dans le repos éternel, avec moi. N'est-ce pas ce que tu souhaites ce soir ? Nous serons alors ensemble pour l'éternité dans la mort. Mais si tu trouves enfin une bonne raison, une seule bonne raison, de rester ici, tu demeureras au milieu de notre famille et tu en prendras soin.

Mickaël Crampton Junior fronça les sourcils et entreprit de réfléchir sur les conséquences de cet accord. Il se redressa sur ses coudes et acquiesça d'un hochement de tête. Il n'avait jamais rien pu refuser à sa femme de son vivant, il ne pouvait donc en être autrement dans sa mort. Anna Crampton lui ordonna alors de se détendre, de fermer les yeux. Elle passa sa main spectrale au-dessus du front de son époux et un fluide glissa d'un à l'autre.

— Imagine maintenant que tu as devant toi chaque occupant de ce manoir. Tu vas lire dans les pensées de son sommeil, seul moment où les êtres sont ceux qu'ils sont réellement. Haineux, jaloux, égoïstes ou bien bienveillants et aimants… Dès que tu te sens prêt, compte à rebours à haute voix à partir de 3 !

La respiration régulière, le vieux bonhomme sentait son âme s'apaiser et s'ouvrir aux souffles de vie extérieures.

— 3, 2,1, énonça-t-il à voix lente.

Il ne put aller jusqu'à zéro, car déjà résonnait dans sa tête une première voix. Aux tréfonds de son esprit, des paroles étaient prononcées. Mickaël Crampton Junior se concentra et parvint à reconnaître les intonations de sa fille. Sylvia avait une voix mentale bien plus agréable que l'horripilant son suraigu qu'elle produisait quand elle était éveillée.

— Pourvu que Papa s'en remette. Que faire sans lui ? Il est souvent insupportable, mais c'est l'âge, ça ! Il vieillit, c'est tout. Et s'il meurt, comment allons- nous gérer tout ça ? Il y aura les funérailles à organiser, la gestion des biens à partager… Non, personne n'est prêt pour ça, je ne suis pas prête pour ça ! Je ne veux pas le perdre !

Le son s'arrêta brusquement, comme si le lien avait été rompu. En fait, une autre voix avait pris la place de celle de Sylvia. Des sanglots se mêlaient à des soupirs tristes. En focalisant son attention sur cette nouvelle présence, Mickaël Crampton Junior reconnut le timbre de son demi-frère :

— Pourquoi me méprise-t-il autant ? C'est moi qui devrais ressentir de la jalousie. Mais non, c'est l'inverse. Il n'a jamais compris qu'il avait été éloigné de moi, que je n'ai jamais été considéré par notre père. Un perdant, voilà ce que j'étais, un moins que rien ! J'ai pu faire ce que je voulais parce que tout le monde me considérait comme un poids et un imbécile. Même ma propre mère a fini par me voir comme quantité négligeable. Lui st brillant, lui a réussi ! Je ne suis rien pour personne alors que j'aimerais au moins avoir la reconnaissance de mon frère. Être enfin autre chose qu'un parasite…

Ces mots raisonnaient dans l'esprit du vieillard. Il agitait la tête dans tous les sens, se débattant avec les impressions qui le submergeaient. Il n'y avait pas de colère dans ce qu'il entendait, mais de la peur, la crainte de ne pas être aimé et d'être rejeté. Confronté à cette tempête d'émotions, il ne savait s'il devait vivre ou mourir. Il tourna sa tête, en conservant les yeux fermés, en direction de ses arrière-petits-enfants.

Deux petites voix se firent alors entendre, loin, très loin au-delà des frontières de toute conscience. Ce fut celle de Peter qui émergea en premier :

— Je veux rentrer. J'en ai assez d'être là pour me faire gronder dès que je fais quelque chose. Papa et Grand-mère m'ont dit de me tenir sage. Je fais de mon mieux, mais ce n'est jamais assez. J'en ai marre, vraiment marre ! Quand Papa me raconte que son grand-père était parfois gentil avec lui, je n'y crois pas. Il a toujours été méchant avec moi, et il l'est de plus en plus ! Je veux pas devenir comme lui plus tard… Je le déteste, je le déteste !

Comment tant de haine pouvait- elle être contenue dans le cœur de ce petit garçon ? Le vieil homme en était tout remué.

— Alors, c'est comme cela que cet enfant me voit ? Comme un être détestable ?

Un mal de tête était en train de s'installer dans son enveloppe corporelle, alors que dans son esprit résonnait à présent la voix de Louise, l'aînée de ses descendants.

— Pauvre vieux Grand- Père ! Il est en train de mourir avec un cœur glacé… Comment peut-on être aussi méchant ? Il a dû beaucoup souffrir pour agir comme cela. À quoi cela sert-il d'être ainsi ? On souffre et on fait souffrir les autres ! J'aimerais vraiment qu'il change. Mais, même quand on fait des efforts, avec Peter, il ne le voit pas. On se moque de ses cadeaux et de son argent. On veut juste quelqu'un pour nous raconter de belles histoires comme il l'a fait ce soir… Qu'est-ce que c'était beau ! Pourquoi il a autant changé ? C'est certainement parce qu'il vit tout seul et qu'il est malade. On devrait venir le voir plus souvent, enfin s'il veut bien…

Un long et profond soupir se fit entendre dans le fauteuil où reposaient les deux enfants. Les yeux de la tendre jeune fille roulaient sous ses paupières, elle était visiblement en proie à un sommeil très agité.

Mickaël Crampton Junior ne put lutter contre les larmes qui étaient montées. Une à une, elles se faisaient un chemin entre ses cils blanchis par les ans et créaient un sillon sur ses joues ridées. Assise à ses côtés, son épouse le regardait, attendrie et peinée à la fois. Elle porta sa main sur la poitrine de son mari et le réveilla :

— Mon cher, il est l'heure de choisir ! La vie ou la mort ?

Le propriétaire des lieux ouvrit péniblement les yeux. La souffrance s'y lisait, de même que l'incertitude. Il posa une question qui lui rongeait l'âme :

— Jimmy ? Où est Jimmy ?

Le spectre grimaça et lui annonça la terrible nouvelle :

— Tu n'es plus rien pour Jimmy. Il t'a complètement rejeté comme tu l'as fait toi-même. Il se moque que tu vives ou que tu meures. Par ton attitude, tu as créé un homme encore plus froid que toi, uniquement intéressé par le matériel. Jimmy est ton monstre sans âme !

— Alors, c'est ça le résultat de toute ma vie ? Je t'ai perdue, douce Anna. Mais tu es revenue me guider. Je… Je suis un vieillard qui a passé son temps à écraser les autres. Ils m'en veulent tous. J'ai suivi les traces de mon père en exigeant trop, en étant trop dur, trop inhumain. Et je vais mourir ainsi. (Il tourna la tête vers ces deux arrières-petits enfants avant d'ajouter) Ils ont raison, j'ai un cœur de glace.

La main fantomatique d'Anna tenta, en vain, d'effacer ses larmes. L'eau glissait sur l'ectoplasme. Elle leva les yeux au ciel et posa à nouveau sa paume à la hauteur du vieux cœur qui battait difficilement dans cette poitrine usée.

— Sens ce que te dit ton cœur, écoute- le pour une fois et pour une bonne cause. Voilà longtemps que tu ne lui as pas prêté attention. Que ressens-tu ?

Le vieil homme se concentra pour essayer de savoir ce qu'il éprouvait :

— J'ai comme une chaleur, là, à l'intérieur. Cela fait bizarre, cela fait tellement longtemps que je n'ai pas ressenti cela ! C'est comme…

— Une petite flamme qui s'est rallumée, finit sa défunte épouse. C'est exactement cela, l'amour est une faible lumière qu'il faut entretenir. Sinon, elle disparaît, prise dans la glace de l'indifférence. Je la sens à travers ces couvertures. Elle brûle comme au temps de notre jeunesse, au temps du bonheur ! Et pourtant, tu vas les quitter et partir avec moi !

Le regard dirigé vers le plafond, son époux respirait avec difficulté, mais sérénité. Le vieil homme réfléchissait à son passé, son présent et son avenir. Laissant sa main dériver à l'aveugle sur sa couverture, il chercha à agripper celle de son épouse. Il ne sentit rien de tangible hormis une masse liquide froide qu'il traversa rapidement.

— Tu partiras dans le calme du sommeil, sans souffrance, ce dont rêvent tous les gens. Nous serons ensemble pour toujours et tu seras libéré de toutes les contraintes humaines.

Un long silence lui répondit. Mickaël Crampton Junior n'avait pas encore quitté ce monde, mais il pesait le pour et le contre. Cependant, il semblait évident que sa décision était prise, de façon ferme et définitive.

— Non, Anna. Non, je ne pars pas maintenant. Pas comme cela, pas avec cette sensation d'échec !

— N'est- ce pas une réaction égoïste qui te pousse à faire ce choix ?

— J'ai raté ma vie, Anna. Je leur ai fait ressentir une énorme souffrance. Je ne peux pas continuer ainsi et les abandonner ! Je dois rester et tout reprendre à zéro.

— En es-tu bien sûr ? C'est peut-être ta seule chance de partir en paix ?

— Tu te trompes. Si je pars maintenant, je ne serai jamais en paix.

Déterminé, le vieux Mickaël Crampton Junior se tourna vers le fantôme et chercha à accrocher le regard translucide de sa compagne aimante.

— Je reste, c'est décidé. J'ai attendu de partir toute ma vie pour te rejoindre. Mais je ne peux laisser mes enfants ainsi. Tu peux le comprendre, hein ?

Un sourire apparut sur la figure de son épouse. Elle enleva la main de sa poitrine et la passa, à sa façon, sur son visage.

— Je ne t'en veux absolument pas, mon chéri. Je n'aurais pas accepté une autre décision de ta part. Tu as enfin écouté ce qui est enfoui au fond de toi depuis si longtemps. Tu as une belle âme, finalement. Prends soin d'eux et tu pourras venir à mes côtés. Plus tard.

— Mais alors…

— Appelle ça un miracle de Noël, si tu veux !

Un rire cristallin résonna dans la chambre. Pour la première fois depuis des années, l'alité sourit franchement. Ses muscles avaient sans doute perdu l'habitude de ce mouvement, car il eut mal aux joues. Néanmoins, il sentait qu'il avait fait le bon choix. Son nouveau cœur était prêt à donner bien plus d'amour en ces quelques années qu'il ne l'avait fait tout au long de sa vie.

Anna flotta au-dessus de son corps et posa ses lèvres transparentes sur son front. Le vieux Mickaël Crampton Junior ferma les yeux et s'endormit d'un sommeil réparateur.

À son réveil, le vieux maître de maison tourna immédiatement la tête vers le grand fauteuil. Celui-ci était vide ! Où étaient donc passés Louise et Peter ? Il appuya sur le système d'alarme qu'il avait fait installer aux débuts de ses malaises cardiaques et son fidèle serviteur arriva, ventre à terre. Il était accompagné du médecin de Mickaël Crampton Junior. À leur suite d'autres pas rapides retentissaient. Afin d'éviter l'affluence dans la chambre, le médecin claqua délibérément la porte au nez de la fille aînée et du reste de la famille.

— Pas de stress et pas de précipitation, Monsieur Crampton ? Comment nous sentons-nous, ce matin ?

— Je vais très bien, mon cher Prentiss ! Merci pour tout ce que vous avez fait pour moi, hier ! Vous avez été efficace, comme d'habitude.

Le docteur et le domestique se regardèrent complètement éberlués. Le malaise cardiaque avait-il accompagné une atteinte cérébrale ? Hubert, qui servait son maître et sa famille depuis son plus jeune âge, ne se rappelait plus quand il avait eu l'occasion de voir celui-ci aimable avec les siens. Il gratta son crâne dégarni d'un air circonspect et entreprit de prendre les médicaments dans la commode, pendant que le médecin rejetait les couvertures en arrière et ouvrait la veste du pyjama de Mickaël Crampton Junior. Il prit son expression la plus sérieuse et concentrée pour ausculter son vénérable patient. Au bout de quelques secondes, il agita le stéthoscope, puis recommença l'opération. Un air intrigué apparut sur son visage. Il secoua la tête et plongea une main dans sa trousse médicale pour en extraire le tensiomètre. Derrière lui, le domestique patientait avec le matériel. Il observait le manège du docteur sans y rien comprendre, peu cultivé de la chose médicale qu'il était. Cependant, ce cirque l'inquiétait. Il redoutait surtout de devoir annoncer à ceux qui attendaient derrière la porte que l'état de son maître s'était nettement dégradé.

— Incroyable, absolument incroyable, marmonna le docteur Prentiss.

Mickaël Crampton Junior leva son sourcil gauche, curieux d'entendre ce qu'il y avait d'aussi incroyable. Le médecin lui fit ouvrir la bouche, observa minutieusement sa gorge. Il se recula pour mieux regarder son patient dans son ensemble, et décida d'agir à l'ancienne. Il posa son oreille sur la poitrine du malade pour écouter le cœur et la respiration. Il prit le pouls avec sa montre. D'un geste de la main, il invita le domestique à se rapprocher et s'empara de son poignet où était accrochée une montre d'une valeur toute relative, mais fonctionnant à merveille. Quoi qu'il fasse, quelque soit la méthode employée, les résultats ne changeaient pas. Or, c'était absolument impossible ! Fatigué d'être manipulé sans explication, le malade s'énerva :

— Que se passe-t-il, docteur ? Vais- je mourir ?

— Oui, comme nous tous, répondit le médecin d'une voix étranglée. Mais bien plus tard que beaucoup d'entre nous.

— Je vous demande pardon ? Exprimez-vous plus clairement, voyons !

— Si je vous le dis… Non, mais c'est impossible ! Ce serait un vrai miracle…

Se relevant avec une force renouvelée, le principal concerné se redressa dans son lit et replia sa veste sur lui. Il hurla alors :

— Mais bon sang, docteur, que se passe-t-il ?

Dans le dos du domestique, la porte s'ouvrit à la volée. Toute la famille avait chuté dans la chambre. Les enfants apparurent derrière et ils passèrent la tête en s'agrippant au chambranle.

Jimmy, complètement indifférent, était adossé au mur, cigarette à la bouche.

— Puisque tout le monde est là, cher docteur, vous n'avez plus d'autre choix que de dire ce qui s'avère impossible.

Le docteur Prentiss s'écroula dans le fauteuil qui avait accueilli les enfants la nuit précédente. Il se frotta vigoureusement le menton, puis appuya sa tête sur sa main gauche.

— Vous allez croire que je suis dément, Monsieur Crampton, seriez- vous d'accord pour passer des examens médicaux complémentaires pour confirmer mon diagnostic ?

Les respirations étaient retenues, les mains moites, les cœurs battaient à tout rompre.

— Oui, je m'y engage. Je prends rendez- vous dès que possible. Mais dites- nous ce que j'ai enfin ?

— Et bien, vous n'avez plus rien. Vous ne souffrez plus, vous avez retrouvé le cœur d'un jeune homme de vingt ans.

— Quoi ? , hurla Sylvia Crampton. Son époux la récupéra au moment où ses jambes s'effondraient sous elle.

— C'est un vrai miracle, renchérit le médecin. Je n'ai jamais vu ça de toute ma carrière. Hier, je vous ai quitté sans être sûr que je vous retrouverais vivant ce matin. Et aujourd'hui, votre cœur est bien plus jeune que le mien. C'est un véritable miracle !

Une vague de sentiments parcourut les uns et les autres. Sylvia souriait et pleurait tout à la fois ; Harry se frottait les yeux, prétextant une réaction à la fumée de cigarette de Jeremy. Quant aux deux enfants, ils écartèrent les adultes de leur chemin pour courir vers le lit de leur aïeul. Mais à quelques centimètres du matelas, ils s'arrêtèrent net. Le vieillard leur ouvrit les bras et ils se jetèrent dedans, se renversant tous trois sur le lit.

— Un miracle, balbutia le vieil Hubert, en tentant de maintenir droit le verre qu'il tenait d'une main tremblante.

Dehors, la neige s'était mise à tomber. Après des années sans neige, les routes étaient devenues impraticables. Les enfants du village de Northshield se ruèrent dehors, salissant l'immensité blanche et couvrant le bruit délicat des flocons tombant de leurs cris de joie. Le cantonnier retraité du village s'approcha de la fenêtre de son cottage au rythme lent des rhumatismes dont il souffrait. Il regarda dehors, songeur, et murmura :

— Une telle neige ! C'est un vrai miracle !

Remerciements

Que serait un livre, surtout un premier – né, sans les remerciements que je dois à tant de gens ?

Je tiens tout d'abord à remercier celui qui fut et restera toujours mon mentor, mon grand-père trop tôt disparu. Cultivé, respecté et respectueux de tous, il restera mon modèle. J'aurais aimé partager avec lui cette nouvelle réalisation de ma vie.

Je remercie aussi ceux qui m'ont soutenue au quotidien, lorsque les muses m'avaient abandonnée ou que la mise en page délicate me poussait au bord de l'éruption.

Un grand merci à mon amie Carine Poirier, porteuse de grandes valeurs humaines et avec qui les échanges furent toujours bienveillants et fructueux. Elle a aussi joué le rôle de correctrice et grâce à elle, j'ai pu avancer et peux vous proposer aujourd'hui une lecture que, j'espère, vous avez pu apprécier.

Merci à Sylvie K., Christine B, Benoît M., Frédérique L.F. , ainsi que le couple M. (et le petit Basilou), qui furent tous les premiers à connaître mes projets et me soutenir dans mon défi fou.

Un remerciement spécial à mon groupe de fous du thriller, les Mordus du 33, qui me demandent régulièrement où j'en suis et me poussent aussi vers l'avant : c'est toujours mieux d'avoir des gens derrière soi avant de se jeter dans l'abîme ! Spéciale dédicace à Jean-Seb P. pour nos conversations entre auteurs et pour tous les partages d'expérience. Merci aussi à mes amis du groupe des Profs Talentueux...Désolée pour les grognements et les râleries...

Comment ne pas remercier ma famille ? Et tout particulièrement ma jeune sœur, Marie, que je coache pour son mémoire de japonais pendant qu'elle m'encourage pour finaliser le recueil de nouvelles que vous avez entre les mains.

Merci à mes amis du Nord, dont le soutien a été indéfectible, aux gens qui me suivent sur Facebook de près ou de loin.

Un très grand merci à vous, chère lectrice et cher lecteur, qui m'avait fait aujourd'hui l'honneur de voyager dans mon univers. Merci de m'avoir fait confiance et d'avoir choisi de me suivre.

Lormont (banlieue bordelaise), le 23 Août 2020.

À PARAÎTRE :

— Suite holmésienne (MPH Univers Policier)

— Le Miroir des Deux Mondes (MPH Univers Fantasy)

— Le Jour des Prétoriens (MPH Univers Fantasy)

Pour me suivre sur Facebook :

page auteur : Céline Gueguen Auteure

Pour me suivre sur Instagram :

mphunivers.

Extrait du livre fantasy

Adolescent Young Adult :

Le Miroir des Deux Mondes.

C H A P I T R E 1

Journal intime de Mickaël
    O'Reiley (extrait).

Jeudi 11 avril 20..,

« Pour la première fois de ma vie,
j'écris un foutu journal intime. En fait,
j'ai récupéré un simple cahier d'école.
Mais ça fera l'affaire. Je n'ai pas vraiment

le choix de toute façon ! Je n'ai jamais vu l'utilité de ce truc. Même pour les filles, je ne comprends pas : elles passent leur temps à raconter leurs vies, et en plus, il faut qu'elles l'écrivent et que cela reste secret ! Mais, moi, si je le fais, c'est pour ne pas devenir fou, carrément fou ! En posant les mots sur ce cahier, j'espère pouvoir prendre du recul, comprendre ce qui se passe, trier les différentes informations et "séparer le grain de l'ivraie", comme dit mon professeur de littérature, M. Grossom... En bref, il faut que je sache !

Par où commencer ? C'est ridicule, mais même ça, ça me fait peur. Si j'écris tout ce que j'ai vécu, ou que je pense avoir vécu jusqu'à aujourd'hui, je vais retrouver une vie normale ! C'est ça ! Une vie normale avec ma famille, mes amis et tout le reste...

M. Grossom dit que je digresse trop avant d'en arriver au point essentiel. Et comme toujours, il a raison. Il faut que j'y aille, il faut que je me pousse... »

« Cher journal - mais quelle expression stupide ! Je n'écris même pas à ma grand-mère pour son anniversaire ou pour Noël. Et là, je m'écris à moi-même !

Cher Micky...

Aujourd'hui fut le summum de ce que j'avais pu vivre jusque là ! Non, là non plus, ça n'a pas de sens. Je sais très

bien, enfin, je crois, ce que j'ai vécu !
Bon, un dernier essai pour ce soir ! »

« Je m'appelle Mickaël O'Reiley,
mais on me surnomme Micky, ou Mike.
J'ai dix-sept ans et je suis en dernière
année au lycée de Newtown. Je suis plutôt
doué à l'école. La preuve est que j'ai été
sélectionné pour intégrer l'université de
mon choix en sciences. J'ai même été
champion d'orthographe de mon collège
quatre ans de suite. Mes parents sont
encore mariés et semblent s'aimer. J'ai
une sœur plus âgée, Diana, qui s'est
mariée l'an dernier et vit dans l'Ohio. Ah,
j'ai failli oublier que je bosse de temps en
temps à la librairie du coin pour mettre

des sous de côté pour mes études. Pourquoi je dis tout cela ? C'est parce que je ressemble en rien aux gens à qui ce genre de trucs arrive... J'ai eu l'occasion de lire et relire tous les grands classiques de la fantasy et du fantastique. Tous les héros ont des problèmes avec leurs familles : quand ils ne sont pas orphelins et carrément martyrisés par ceux qui les ont recueillis, ils ont un beau- père ou une belle- mère qui les torturent au quotidien. Ils sont rejetés par tous, n'ont pas d'amis, sont en échec... Bref, tout cela n'a rien à voir avec ma propre vie. Je suis à l'opposé de tous ces gamins, je n'ai absolument rien de commun avec eux. Adolescence sympa, amis fidèles au poste, famille aimante, études réussies... Je suis aussi bien plus âgé qu'eux : Potter est entré à Poudlard à onze ans, Percy Jackson découvre la vérité sur ses origines à douze ans... Et moi, je suis un ado, je conduis la voiture de mon père le week-end, je vais aller à l'université l'an prochain... Alors pourquoi ça m'est tombé dessus ? J'avais jusque là une théorie toute faite sur ces héros imaginaires : il n'y avait que des enfants malheureux qui pouvaient vivre ce genre d'expérience. C'était comme un passage obligé entre l'enfance et l'adolescence. Tous ces phénomènes ont lieu, car ce sont encore des enfants, qui ont une large part d'innocence. Enfin, ça, c'était ma théorie jusqu'à avant-hier...

En me relisant, je m'aperçois que j'ai oublié de mentionner un personnage essentiel de mon histoire. Ce personnage, c'est Jeremiah, mon chat... Je l'ai rencontré il y a sept ans environ. À l'époque, j'avais été hospitalisé, car je souffrais d'une très grave infection pulmonaire. L'été de mes dix ans se passa donc allongé sur un lit d'hôpital, dans une chambre stérile. Dans un premier temps, je ne pus voir mes parents qu'à travers une baie plastifiée. Puis, au bout d'un mois, lorsque mon état de santé fut enfin stabilisé, ils purent pénétrer dans ma chambre, vêtus d'une combinaison blanche. Il fallut attendre un autre mois pour que je puisse regagner la maison familiale. Un accueil grandiose m'attendait, tout le monde chercha à m'embrasser malgré les recommandations médicales. Cette maladie m'avait épuisé et, sous mon masque, je respirais très difficilement. Mais j'étais heureux, j'étais enfin chez moi. Chaque membre de ma famille avait dédicacé les masques que je devais encore porter pendant un mois à la maison. Quel bonheur ! Notre chien, Doggy Dog, était lui aussi aux anges. Il parcourait la maison en remuant la queue et avait sans doute semé des poils dans ma chambre qu'il n'avait pas quittée depuis la veille de mon retour. On m'a toujours dit que les animaux ont de l'instinct, qu'ils sentent venir les choses. Doggy Dog (je l'avais baptisé ainsi étant gosse, car il cherchait constamment à dévorer les restes contenus dans nos assiettes) avait enfreint toutes les règles de vie en s'installant de force sur mon lit dès le dimanche matin. Ma mère m'a raconté qu'il avait hurlé à la mort jusqu'à qu'elle cède " à son caprice" et lui ouvre la porte de l'étage, puis celle de ma chambre. Puis il l'avait écartée de son chemin à l'aide de son imposant derrière et s'était installé d'autorité sur mon lit. Tous ceux qui avaient essayé de l'en déloger avaient été accueillis par des grognements sévères. Il n'avait rien mangé ni n'était sorti jusqu'à mon arrivée triomphale. Mais ce n'était pas la seule surprise qui m'était réservée.

Mon père imposa à tous un couvre-feu à 18 h afin que je puisse me reposer de toutes les surprises de la journée. Je m'apprêtais à aller me coucher après que ma mère, infirmière, m'ait donné mes médicaments du soir lorsque ma grand-mère Nancy frappa à ma porte. Elle fit un signe de tête complice à ma mère, qui se retira avec un large sourire. Grand-mère

Nancy s'assit au bord du lit et remonta les couvertures sur moi.

— Tu as bien maigri, mon garçon !, me dit-elle. Je te reconnais à peine. En plus, ton masque te donne un air vraiment... hum particulier.

Je ne pus m'empêcher de rire à cette remarque. J'avais moi-même l'impression d'avoir une allure assez étrange affublé de mon pyjama rayé et de mon masque plein d'autographes.

— Mon Micky, j'ai eu l'occasion de discuter avec tes parents un certain nombre de fois à ce sujet... Au début, ils étaient contre. Mais j'ai fini par les convaincre du bien-fondé de mon cadeau. Tu sais, Doggy Dog est un brave gars, mais il ne rajeunit pas, malheureusement...

— Qu'essaies-tu de me dire, Grand-mère ? De quel cadeau veux-tu me parler ?

— Tu as bien conscience, mon chéri, que tu as failli perdre la vie...

Je n'avais jamais vu les choses ainsi, et les paroles de cette femme que j'adorais me firent frémir. Les poils de mes bras se redressèrent et je fus couvert par la chair de poule.

— Voyons, Grand-mère, tu exagères...

— Écoute, je sais ce que je dis. Tes parents ont eu très peur pendant longtemps, ta sœur a loupé l'école pendant deux semaines tellement elle était angoissée par ce qui t'arrivait. Mais personne ne t'a rien dit, on sait que l'espoir aide à guérir ! Aujourd'hui, tu es sorti d'affaire et tu comprendras que la vie est précieuse. C'est pour cela que mon cadeau est un peu spécial. Je vais te confier un trésor, une chose dont le bonheur dépendra uniquement de toi...

Elle sortit alors de son éternel sac en toile une toute petite boule de poils. On aurait cru une peluche. Cependant, celle-ci s'anima d'un coup et se mit à bâiller. Grand-mère Nancy s'empara du petit chat qui était à ses côtés et me le déposa délicatement dans le giron.

— Je te confie cette petite vie. Ce petit bonhomme est tout seul au monde, il est arrivé je ne sais comment dans mon jardin. Pour moi, c'est un signe du destin... Je l'ai biberonné jusqu'à ce qu'il soit assez vieux et solide pour que je te le confie.

— Mais Doggy Dog ne sera jamais d'accord pour qu'il reste ici. Il va le dévorer tout cru, il déteste tous les chats ; il les poursuit à travers le jardin...

— Ne t'en fais pas. Les présentations ont déjà été faites. C'était d'ailleurs l'ultime condition posée par tes parents. Si Doggy n'était pas d'accord, je reprenais mon étrange cadeau. Mais ce petit minou a fait fondre notre gros costaud... Ils ont même fait une sieste ensemble hier... Alors c'est réglé, mon garçon ? Tu acceptes ce chat ?

Machinalement, j'avais déjà commencé à caresser le nouveau venu. Je sentais bien qu'il fallait que je le protège, que je prenne soin de lui. Je réfléchissais déjà à son nom et celui de Jeremiah s'imposa tout naturellement à moi.

— Il s'appellera Jeremiah. Mon chat s'appellera Jeremiah.

— Bienvenue parmi nous, Jeremiah.

Ma grand-mère se leva difficilement de mon lit, caressa Jeremiah et m'embrassa sur le front. En franchissant la porte, elle murmura : "Micky et Jeremiah, voilà une magnifique histoire qui se prépare !"

Je m'endormis presque immédiatement, avec Jeremiah ronronnant dans mon cou. Doggy Dog avait dû ouvrir la porte tout seul, car au matin, je découvris les deux animaux de la maison endormis au pied de mon lit.

Aujourd'hui, Doggy Dog n'est plus là. Mon premier meilleur ami a disparu et un nouveau duo s'est formé. Jeremiah et moi avons un lien très spécial. Même si tous les amoureux des bêtes vous diront la même chose, je suis sûre que notre lien est très, très particulier. Je suis capable de le réveiller rien qu'en l'appelant par son nom dans ma tête ; il m'attend tous les jours au pied du perron... Je lui "parle" en chat et il me répond automatiquement. Nous avons cette capacité de nous comprendre sans nous parler. Bien sûr, il a causé des dégâts comme n'importe quel chat. Mon père n'a cessé de replanter les tulipes et autres rosiers que Jeremiah avait déterrés, ma mère a hurlé à la vue de mes rideaux déchirés. Mais personne ne peut nous séparer. Cependant, il y a de cela quelques mois, Jeremiah s'est, comment dire, transformé. On a même pensé qu'il était malade. Lui, qui ne sortait jamais, a disparu pendant quelques jours. Il est revenu de son escapade épuisé, avec une marque sur la face... Je pense que c'est normal qu'un chat puisse se bagarrer, mais cela m'a étonné de la part de Jeremiah, qui accepte même la présence des chiens dans notre jardin. Il est désormais plus sérieux et ne me quitte pas du regard lorsque nous sommes dans la chambre. Il ne s'éloigne pas non plus de la terrasse. Je pense que sa sortie l'a perturbé... Mais je ne peux m'empêcher de penser que cela a un lien avec ce qui m'arrive depuis lundi, depuis que mon monde s'est cassé la figure, que mes certitudes ont volé en éclats...»